ZUN

*À amada Camila
por ser e permanecer tanto.*

# É sempre a hora da nossa morte amém

Mariana Salomão Carrara

*O que nos aconteceu*
*o que não nos aconteceu*
*têm o mesmo peso no poema*

ANA MARTINS MARQUES

*– Tive sim uma filha*
*– Ah então hoje vai ser um daqueles dias com filha*
*– Não, é definitivo desta vez, lembrei tudo, eu tive a minha filha Camila*
*– Sempre é definitivo. Foca um pouco mais na sua juventude, que você lembra direito e sempre igual... Eu vou procurando a sua casa*
*– Não é a mesma casa, você insiste nisso da casa, Rosa*
*– Mas vamos comigo achar a casa da sua infância, quem sabe você não lembra melhor assim*
*– Já me lembrei de tudo, claro como nunca*
*– Claro como sempre!*
*– Rosa, Rosinha, você tem que acreditar em mim quando eu falo que me lembrei da minha filha*
*– Então pronto, vamos achar a Camila e tirar você daqui, Aurora*
*– Eu não quero tanto assim sair daqui*
*– Ah mas eu quero que saia! Você ainda tem uma vida pra viver*
*– Eu tenho uma vida pra lembrar, Rosa, a vida de viver já acabou*
*– Vai logo, Aurora, hoje não estou com a manhã toda*
*– ...*
*– Você tem pelo menos, o quê, mais uns dez anos de vida, imagina só, uma década, nesse quarto você não*

*pode ficar uma década, não tem nem vinte dias e você já está meio caída, onde foi que eu deixei o lápis, tinha umas canetas aqui, não tinha?*
— O nome dela é Camila. *Aí, atrás do calendário*
— Certo, Ca-mi-la, anotado, sempre é Camila
— O problema é que a minha filha está morta
— Ah, que ótimo, *de que forma será que ela morreu dessa vez, acho que foi um penhasco que se abriu bem no meio da avenida exatamente na hora que ela passava, aposto que foi isso, ou senão uma onça, na verdade um animal gigante que desceu do céu e*
— Desse jeito, não vai me tirar daqui nunca
— É que, Aurora-do-céu, eu estou perdendo a paciência
— Ah, Rosa, não perca, sua paciência é tudo o que eu tenho
— ...
— Aurora-do-céu, o lado bom de quando você perde a paciência é esse, eu gosto de ser Aurora-do-céu
— ....
— Mas de toda forma toda aurora é do céu
— Aurora, me escuta, você precisa entender que a maior probabilidade é sua filha estar viva que nem a maioria das filhas brancas deste país e a Camila está lá fora procurando a mãe enquanto você
— Foi um avião, Rosa

## UM

Um filho pode morrer em etapas.

Uma das maneiras de um filho morrer em etapas é justamente um avião desaparecido. Primeiro some um avião, o que você já sabe que pode acontecer e, contra todas as expectativas, mesmo assim deixa a sua filha entrar nele, de férias ou sei lá o quê, uns tempos em outro continente servindo bebidas, as necessidades que as pessoas arrumam. Até terem seus próprios filhos, os filhos não sabem dimensionar o esforço de mantê-los vivos até aqui e arriscam-se demais.

Então, uma vez desaparecido o avião – isso foi uns dez, quinze anos atrás, eu soube na hora pela televisão e derrubei o bule, como num filme, os filmes estão certos, as falanges se distendem e o bule tomba no chão –, está desaparecido o filho dentro dele.

Já começa de imediato uma reação dentro do corpo que é tentar eliminar depressa tudo que foi comido recentemente, porque não há mais tempo para cuidar da digestão, é hora de reagir a essa dor indescritível e para isso é preciso um estômago livre.

Talvez seja uma longa nuvem, você vislumbra essa nuvem acabando e dela desponta um avião, o avião onde está a sua filha e os filhos de tantas pessoas, como pode uma coisa que voa para outros continentes levando filhos no meio do ar.

Mas a nuvem não termina e já são horas demais para um filho estar desaparecido dentro de um avião desaparecido enquanto você recebe notícias pela televisão, pelo telefone a companhia aérea ainda não pode ajudar, senhora, como se fosse uma ajuda.

Antes dessa viagem ela disse que precisava se despregar de mim, porque isso aqui não é vida. É uma frase que se espera de um adolescente, ela já tinha pelo menos vinte anos e havia várias formas de se despregar de mim que não envolviam um avião desaparecido, saiu brigada comigo, mas não tinha importância, uma briga à toa, não significa nada diante de tudo o que fomos, quando uma mãe quer lembrar de um filho pensa nele aos sete anos de idade rindo de uma comida que caiu do prato, esse é o retrato definitivo de um filho.

Depois acharam no mar. Primeiro o avião, então começou mais uma etapa da morte da minha filha, quando o avião já não estava desaparecido, mas ela sim. Então você imagina que há uma ilha, ela escapou. E cada tolice que você imaginou pesa um pouco mais quando vem a ligação, acharam o corpo dela também.

**DOIS**

Minha filha Camila tinha uma cor ensolarada puxada do pai, um cabelo forte que crescia rápido na frente dos olhos e eu mandava que cortasse a franja, mesmo já moça eu insistia com a coisa da franja porque ela andava de bicicleta com o cabelo no olho e a gente põe filhos no mundo pra andarem de bicicleta, as cabeças debaixo dos pneus dos ônibus, tudo porque não cortaram a franja e enxergam mal, um charme.

A minha Camila apesar de tentar tanto morrer de franja foi morrer de outros cortes, sepse, a palavra que eu já conhecia e que era apenas uma palavra, embora uma palavra nunca seja verdadeiramente pouco, foi uma comoção na escola, estava no último ano e ia cursar jornalismo.

A Camila não ia existir, nenhum filho ia, porque o Antônio queria viver solto, grudado em mim, mas solto de todo o resto, ninguém chorando de madrugada, é nessa hora que eu me perco um pouco, quem foi que venceu, mas ando convicta, eu venci, a Camila nasceu e chorou dentro de todas as madrugadas do Antônio até ele ir embora, era um choro igual ao de qualquer criança, eu já estava preparada pra isso, no começo do magistério tive classes de crianças que eram quase bebês, horas e horas chorando, é o canto deles, mas é isso, no fim se bota uma criança no mundo pra que ela chore muito e faça uns anos de companhia mas a maior probabilidade mesmo é que morra, por isso talvez estivesse certo o Antônio, quem é que consegue viver assim lado a lado com a possibilidade da pior morte e a pior morte era a da Camila, sábios os que evitam a possibilidade da morte de suas Camilas e a única forma segura é impedir que existam.

Eu achei que eu fosse famosa, uma artista, mas não tem nenhuma foto minha na internet, a Rosa disse, então eu já sei que sou professora, se eu fosse artista já teriam encontrado tudo sobre mim, o médico perguntou se pode ser que Aurora não seja o meu nome, eu espero realmente que seja, é um excelente nome, professoras de português têm uma coisa curiosa que é viver ensinando a língua que os jovens já falam o tempo todo e portanto acham que não precisam aprender mais ainda, e então você divide aquilo que eles acham que sabem numa porção de conceitos que eles decidem que não querem saber e no fundo você só deseja que eles se comuniquem bonito, é somente isso que quer uma professora de português, mas passa a vida ensinando o que todos já sabem ou minúcias que ninguém quer saber dentro daquilo que todos já sabem, por isso a Camila que se comunicava bonito e amava a sua língua ia ser jornalista, e não professora de português.

A ideia de ter um filho vai além de gerar e apertar e amar uma criança, o que você quer é ter também um filho adulto, ficar velha perto de alguém que ficou adulto e ainda te ama, porque os alunos não, eles ficam adultos e esquecem a professora de português ou pelo menos não a amam, e é por isso que eu fico revoltada com a Rosa, ela quer que eu me lembre de tudo isso quando na verdade era muito melhor não lembrar que eu gastei a minha vida protegendo Camila de todas as quinas dos móveis, o perigo das pontas das facas, para ficarmos velhas juntas, ela ainda não seria velha hoje, mas certamente adulta, talvez quase quarenta anos, que delícia ter uma filha de quarenta anos, foi para isso que eu despejei e transbordei toda a minha juventude no berço da Camila, pra que um dia ela tivesse quarenta anos.

Quarenta anos, a idade que a Camila deveria ter hoje, é uma idade que as pessoas imaginam, é uma idade normal, mas eu me lembro de quando eu cheguei aos setenta anos, isso foi antes de eu esquecer a Camila e o meu endereço, portanto não haveria em tese motivo para espanto, mas chegar aos setenta anos foi a maior surpresa da minha vida, a novidade mais inédita de todos os fatos previsíveis, porque nunca ninguém pode se imaginar com setenta anos até de fato chegar neles. Quando a pessoa se imagina com essa idade é feito assistir por trás dos olhos a qualquer coisa que não é ela, é outra velha, uma velha que já não é ela, porque ninguém pode ser o mesmo aos setenta, então nunca somos realmente imaginados aos setenta, os septuagenários imaginários são completos factoides, e bastava que tivéssemos, aos trinta ou quarenta, pensado em nós mesmos, ainda que bem mais velhos, mas não o fizemos, pensamos numa outra velha, e em sermos assim tão inusitados é que reside a extrema solidão de chegar aqui: nem nós nos esperávamos.

Dou comigo mesma aos setenta e poucos quando por toda a minha juventude me esperava outra, não assim, tão mesma, uma outra que não pudesse se dar conta de todo o tempo que passou – que é bem maior que aquele que sobra.

Eu achava que indivíduos de setenta anos só deviam pensar nas curvaturas de sua velhice e o que passou já teria passado, era a vida que aconteceu e pronto, mas não, as culpas ficam jovens, não temos a idade das nossas culpas, são cheias de energia e acho que não dormem, parece que ficam ainda mais vigilantes no nosso sono, trazem insistentes sonhos sem criatividade que são na verdade arremedos da própria culpa, releituras da vida que já foi. Eu sonho insistentemente que não tive Camila e que portanto Camila não morreu e estou transando com Antônio belíssimo, talvez não seja Antônio, estamos bêbados numa festa e temos quarenta anos, que é a idade que deveríamos ter sempre, ao ser humano deveria ser assegurado o direito de ter a todo momento quarenta anos, do princípio ao fim.

O problema desses sonhos é acordar deles, são chicletes que mastigamos seis, oito horas, entusiasmando o estômago, sem engolir nada.

Eu achava que aos setenta sonhávamos menos, ou que acordávamos sem lembrança da noite, preocupados com a cafeteira, a água dos beija-flores, o leiteiro que vai passar. E nessa imagem que eu tinha dos velhos morava até mesmo o absurdo de um leiteiro na década de sabe-se lá que futuro em que chegaríamos todos aos setenta anos. Cheguei aqui, e ainda há pesadelos – que são também os sonhos bons, por tornarem aterrorizante a própria realidade que lhes sucede. Cheguei, e como há pesadelos.

Então foi isso, Camila cresceu dócil, teve uma adolescência inofensiva, indício de que quando tivesse quarenta seríamos amicíssimas, um dia ela fechou o caderno e iluminou com o lustre um corte mal cicatrizado no quadril, engrumado e cinza, muito quente, a Camila tinha a pele ensolarada que puxou do pai e além disso tinha tomado muito sol com as amigas, era importante a marca do biquini, importantíssima, sobre isso eu não poderia intervir, ela ia de bicicleta até a casa da amiga que tinha quintal, mas não tinha piscina então se molhavam na mangueira, lindíssimas, eu mandava cortar a franja que atrapalhava os olhos na bicicleta, o perigo do pneu dos ônibus sobre a cabeça, também mandava avisar que chegou, que saiu, tomar suco de laranja fresco, mandava também que corrigisse a redação que esqueceu em cima da mesa repleta de sujeitos preposicionados, como me enervam os sujeitos preposicionados, logo minha filha, e agora o bronzeado escamoteando os descaminhos da ferida, a verdade é que eu posso nunca ter avisado que ela precisava lavar com sabonete na hora qualquer machucado, um assim tão grande precisava ainda mais desinfecção, ou não pedi duas vezes no mesmo dia e aos filhos tudo que se quer de verdade é preciso ordenar ao menos duas vezes, em ocasiões próximas.

Ela tentou desconversar ao mesmo tempo em que me pedia ajuda, mostrar a ferida era pedir ajuda, tinha se cortado no jardim da amiga enquanto corriam com a mangueira aberta, não sabe dizer em que espécie de prego saltado de um cano ou árvore, talvez algo que pregasse a rede, não era questão de ferrugem, não, mas talvez tenha sido um pouco mais fundo, coloquei a mão na testa dela, febril.

Tinha prova no dia seguinte, é impressionante, a morte além de tudo tem desses ardis, disfarça-se tanto que parece estar em algum lugar rindo enquanto nos ocupamos do cotidiano como se ela não estivesse à espreita, limpei o corte, dei um antitérmico, no dia seguinte ela não se levantou para a prova, vomitava, a febre muito mais alta, um cheiro esfumaçado saía do machucado.

Foi tanto tempo no hospital que passei a ter rotinas completamente naturalizadas que envolviam a identificação constante junto à recepção, ligar para o professor que me substituía e explicar detalhes de cada aluno para as avaliações finais, e correntes de orações que a escola me mandava e eu achava que desprezava mas em verdade eram a minha única companhia, esse deus dos outros.

À infecção generalizada seguiu-se um coma induzido por meses, eu me despedia a cada noite da minha menina minguada e esmaecida. Camila morreu numa manhã em que eu estava tão exausta de temer a sua morte que não tive a força para o desespero, o médico disse que O fato dela estar com o sistema imunológico um pouco fraco..., e esta é uma culpa que mesmo aos setenta e poucos anos eu deveria ter conseguido suprimir, o incômodo que eu senti com o sujeito preposicionado que o médico usou, ficava voltando a frase, E o fato dela ter demorado tantos dias, Dela Dela Dela Dela, se este homem não sabe dizer uma coisa tão simples talvez não saiba de bactérias, não saiba de mães e filhas, desde o instante em que eu decidi que teria um filho eu sabia que era possível perdê-lo algum dia, foi escolha minha. Mais uma culpa.

## TRÊS

Hoje Rosa vai ficar muito chateada, mas estou segura: não tive filhos. Como Antônio está morto, não tenho nenhum nome para ela procurar, mas lembro sempre o nome da minha amiga, uma grande amiga, a maior amiga que poderia haver, Rosa, mais do que uma filha, é esta amiga que você deve procurar e ela vai saber resgatar cada segundo da minha vida, deve estar me procurando desesperada, ela vai te contar que eu nunca tive filhos, o Antônio não queria e de tanto ele não querer eu não quis, e certo ele, o mais provável era que o filho morresse antes dos quarenta depois de haver esgotado nossa juventude, essa grande amiga vai ficar chocada que me encontraram desorientada assim, depois vai rir da minha cara, Aurora-do-céu como isso foi acontecer! Não vai dizer Aurora-do-céu porque Aurora possivelmente nem é meu nome, mas vai gritar aquele que é meu nome e com esse nome chafurdar todo o calabouço da minha vida, um abraço apertado, vamos pular ainda que velhas, ela vai tirar uma garrafinha de cachaça da bolsa explicando que é de Minas, muito boa, eu vou amar, vai procurar neste quartinho verde e branco algum copo e não vai achar, então tomaremos no gargalo, eu lembro perfeitamente desta amiga, o nome dela é Camila.

Rosa vai ficar exultante com esta minha memória, Camila sempre foi adorável e agora deve estar uma velha divertidíssima, ficou viúva no momento correto, já sem paixão, só um amor gastadinho, bem usado, numa hora em que ela já era velha o bastante pra ter entendido que não precisava de homem, mas Camila teve um filho, ele mora no México, ou era Novo México, aposto que isso faz toda a diferença mas infelizmente não tenho como lembrar um detalhe desses, Camila vai perdoar, ela perdoa cada coisa.

Então ela virá me buscar soltíssima de homem e amargurada porque o filho que tem justamente a faixa dos quarenta ou quarenta e cinco anos não é aquele amigo que estava no contrato, não, quando ela gestou e pariu e azedou toda a casa de leite e fralda e depois acordou tão cedo para levar na escola e parou de pintar – ela pintava – para pegar mais trabalhos odiosos – mais tarde lembrarei a profissão dela –, então Camila estará frustrada com esse filho que em vez de ser um incrível laço foi morar no Novo México ou México, mas ainda assim permanece sendo um filho, e vivo, coisa que não é tão comum, como todos sabem, então ela vai tirar a cachacinha da bolsa e vamos tomar inteira – é daquelas pequenas, de bolsa, que incrível existir uma cachaça de bolsa –, e depois que terminar de resgatar minha vida inteira ela vai me mostrar onde é minha casa e como ela é finalmente viúva vai acabar ficando pra dormir, vamos ver filmes de madrugada como se tivéssemos quinze ou quarenta anos, depois vai perguntar se quero ir à praia no final de semana.

Eu vou falar que não precisamos esperar o final de semana, com meu nome recuperado eu provavelmente terei uma aposentadoria caindo em algum banco, nós não temos mais quarenta anos, talvez esteja aí a única vantagem de uma boa velhice – não como a velhice dos idosos deste lugar –, qualquer dia é final de semana, então vamos acordar e eu vou falar pra tomar cuidado com o chuveiro elétrico que faz tempo que ninguém vem me ajudar com uns fios que estão soltando estranhos por cima, melhor ela pelo menos tomar banho de chinelos, porque Camila é uma sobrevivente, espantoso que tenha conseguido permanecer viva, tamanho o perigo das suas condutas, a começar pela bicicleta que quando jovem ela usava indiscriminadamente, em qualquer avenida, com uma franja que caía pelo olho, não enxergava nada.

Antônio deveria ter vivido um pouco mais, pelo menos até o marido da minha amiga Camila morrer, porque houve um período em que fui mais sozinha do que uma pessoa pode ser, mas ninguém sabia, porque a solidão dos outros é uma coisa que a gente lembra só de vez em quando e logo joga para longe da cabeça antes que se instale a culpa, porque é muito mais fácil vir a culpa do que uma visita, Camila me visitou pouquíssimo, pelo menos na minha opinião, e eu cheguei a culpar o Antônio que me fez não ter filhos pra vivermos juntos essa maravilha que é a liberdade e o tonto não conseguiu passar dos sessenta e poucos, grande porcaria de liberdade uma vida até os sessenta e poucos.

Fiquei tão sozinha que corrigia meus próprios erros de português, erros não, gafes, deslizes. Camila é uma mulher boa, ela tinha sempre alguma companhia para fazer ao marido, então eu peguei um jabuti de jardim, porque os cachorros já tinham morrido também e eu fiz um cálculo. Se eu pegasse um cachorro aos sessenta e dois anos, vamos supor que o cachorro tivesse uns três anos, e vivesse uns dezesseis, seriam mais treze anos de vida, era possível que eu sobrevivesse a ele, de modo que lá pelos meus setenta e cinco anos, que é mais ou menos o que devo ter hoje, poderia ver a morte de mais um cachorro, e isso não, isso eu não suportaria, então, tal como a questão dos filhos, era melhor não ter um bicho cuja dor da morte você é incapaz de suportar.

O jabuti ficou na minha casa aonde nunca mais voltei porque não sei onde está, então deve ter comido quase todo o jardim e talvez escapado por baixo do portão, se fosse um cachorro teria morrido olhando a porta obcecado com a ideia do meu retorno.

Quando Rosa encontrar a minha amiga elas vão entrar juntas e eu estarei deitada com um livro, será algum dos livros que líamos na época de meninas, para ficar mais dramático, assim ela vai primeiro se assustar com as paredes descascadas daqui e o verde que gosto de chamar de verde-velho, há o azul-bebê, o verde-água e o verde-velho que é esse tipo de verde vulgar que usam em lugares para velhos, depois ela vai se chocar com o meu cabelo e então os olhos vão baixar até a capa do livro e ela vai chorar instantaneamente, pegar a cachaça da bolsa, et cetera.

**QUATRO**

Hoje chove, ouço tiros. Os idosos estão acumulados na sala de vídeo e o vazio sem móveis faz um eco no tiroteio do filme, ouço o dublador descrever estratégias para encontrar o alvo e não há a menor chance de os telespectadores estarem de fato acompanhando a agilidade dessa fuga, todos quase derretidos nas cadeiras, de rodas ou não, os do fundo constantemente repetem que é pra colocar no futebol.

Vou ali perto espiar. Quando um ator sussurra no filme, não se pode escutar porque o ventilador faz muito barulho e num janeiro desses não dá pra desligar, embora eles detestem as correntes de vento, eu por mim desligava também. Se não é o ventilador, é o trovão. Quando estão todos juntos assim numa sala o cheiro de urina seca é mais evidente, misturado aos produtos baratos e à ferrugem das janelas posso apostar que é cheiro de cadeia, só falta o cheiro de suor dos jovens que até nisso os velhos ficam fracos.

Hoje tenho consulta no médico e estou aguardando as diretrizes, aqui fora da sala de vídeo estamos eu, a faxineira que jamais dará conta sozinha de tantos cheiros e ainda assim sorri para mim quando cruzo com a sua pressa, há o idoso que lê muitos jornais, há também a dupla do dominó incansável, não param mesmo quando a chuva espirra por baixo da mesa e começa a umedecer as meias, um perigo um idoso com as meias úmidas, e há também aqui fora a acumuladora, pelo que soube foi resgatada da própria casa quando já somava trinta e oito gatos, cento e noventa copos vazios de requeijão lavadinhos sem rótulo, uma graça de coleção, empilhados pelos cantos não apenas os rótulos mas qualquer papel de anúncio ou revista que tenha entrado pela porta, já não era possível usar a pia da cozinha, preenchida de ração de gato, no box do chuveiro ela estocou embalagens vazias de xampu e todas as escovas de dentes das últimas décadas, é fascinante uma pessoa que não pode viver sozinha porque se apega demais a todo o seu arsenal de coisinhas transitórias. E gatos.

Sento ao lado dela, à mesa, para ver a chuva, os tiros dublados ao fundo, um ou outro resmungo no dominó, com a umidade o cheiro de urina sobe, é nostálgico para ela, lembra os trinta e oito gatos. Este lugar é tão completo, acho que posso viver aqui para sempre.

Como eles ainda têm receio de que eu vá esquecer tudo de novo e não saberei voltar da consulta, mandam a coitada da Rosa me acompanhar, tantos problemas para acudir e precisa ficar aqui investigando uma velha confusa, isso é o que sinto, ela não, ela perde a paciência, mas é um poço de amor, na volta já avisou que vamos aproveitar pra passar no postinho e cobrar a listinha toda dos remédios dos idosos, que eles não mandaram vários, poucas são as chances de isso ser uma função da Rosa e também poucas as chances de haver alguém encarregado disso neste país e se houver ele não está ou não dá conta, a enfermeira sobrecarregadíssima, e o país sempre largado em cima de alguma Rosa que está quando os outros não estão.

Na fila do médico nem todos são velhos e ainda assim não ficam atentos aos malditos números das senhas apitando no painel eletrônico, mesmo com o barulhinho insistente, valha-me Nossa Senhora que basta olhar para cima a cada bipe e conferir se é o seu número, uma tarefa tão simples e ainda assim toda essa gente atrasando a vida dos outros, as funcionárias têm de vir chamar o nome. Por mim, deixavam por último.

O doutor refaz um monte de perguntas que já me fizeram antes de me liberarem do hospital e depois me olha com algum desgosto porque eu simplesmente não me encaixo em nenhuma das suas teorias, como tento desanuviar o ambiente fazendo um gracejo ou outro a Rosa questiona se eu estou ciente do privilégio que é uma consulta com um neurologista neste país, e é claro que estou, não me lembro se tive ou não tive uma filha mas fora isso estou ciente de tudo, a consulta avança e o cinismo do médico ganha tons de irritação, ele repassa o meu polêmico itinerário, encontrada na madrugada de Ano Novo zanzando praticamente na beira da estrada perguntando por Camila, uma coleira vazia na mão, depois segue numa longa ficha anotando os meus exames, olha de novo pra mim, humor eutímico, pragmatismo preservado, eu interrompo, pragmatismo preservadíssimo! Era uma piada e ele não ri.

Neuromoduladores em ordem, sem problema visível no córtex pré-frontal, nenhum déficit nas enzimas nem na síntese proteica, peço para falar mais devagar para eu anotar, já vou apanhando uma caneta, ele diz que estará tudo no laudo, gosto da ideia de que terei um laudo, não há estreitamento nas sinapses, nenhum sinal de apoptose, Aurora Aurora Aurora, ele está desgostoso de mim, vai dizer Aurora-do-céu, depois registra algo com a palavra fosforilar, e eu fico mais encantada.

Estou ciente do privilégio de estar diante de um neurologista e no entanto ele não está gostando do meu caso porque sou um desafio, ele precisa saber que eu detesto ser um desafio, sou uma pessoa totalmente devota à ideia de diagnóstico. Este homem precisa gostar um pouco mais de mim então me estico para ver a tela com o exame colorido, digo que a imagem do meu hipocampo parece uma lesma craquelada ao sol, e então ele finalmente sorri e responde que é assim mesmo, são as fibras aferentes do fórnix, elas são colinérgicas.

Como minha sintomatologia e meus neurônios não condizem com a ciência, ele pergunta se por acaso eu tinha muito medo de fogos de artifício. Não, mas um dos meus cachorros tem, demais, o Perdoai, para isso ele não tem perdão, dou risada com meu trocadilho e o médico fica com o olhar um pouco parado, talvez pense em reconsiderar o Pragmatismo Preservado. De tanto não rirem das minhas graças lembro que o Perdoai está sozinho no meu quintal com a Camila, o meu jabuti, e isso é o pior de tudo.

Por que a senhora acha que esqueceu sua vida, Dona Aurora?

A pergunta é séria e a dúvida genuína. Mas não gosto de senhora e muito menos de Dona, também não esqueci a minha vida toda, não é bem assim, doutor, talvez, não sei.

A Rosa suspira e conclui de repente que tenho um distúrbio poético. Agora sim os dois riem.

## CINCO

A Rosa outro dia fez quarenta anos, o pessoal do abrigo preparou um bolo pra ela, que idade perfeita, que coisa boa é ter quarenta anos, mas ela é assistente social e tem muito trabalho, talvez já esteja mais cansada do que deveria estar nessa idade, não fala da vida dela, sei que teve dois filhos, ela se irrita comigo quando conto que minha filha morreu, porque como às vezes pode parecer que estou confusa deve achar que invento tudo, vai ver um dos filhos dela morreu e ela pensa que estou caçoando porque é muito mais improvável morrer a filha de uma professora branca de colégio particular do que um dos filhos da Rosa, ela me fala isso toda hora, e, realmente, tem razão, mas nem tudo são probabilidades, infelizmente, porque eu teria absolutamente todas as probabilidades do mundo a meu favor, mas as tragédias nem sempre verificam os números antes de açodarem uma vítima improvável.

Aliás, para uma pessoa precavida como eu, nada que ocorra fora das probabilidades é espantoso ou causa desconfiança, precavida é sinônimo de prevenida, uma pessoa que já foi avisada de tudo o que possa vir a acontecer, não é natural manter-se vivo, todo o corpo fica permanentemente combatendo nossa tendência a morrer, a vida em si é que é surpreendente, todos os órgãos funcionando, o milagre da respiração, quando ouvia adultos rezando eu me detinha particularmente na passagem que eu escutava errado, Agora é a hora de nossa morte amém, por isso eu tinha tanto medo que rezassem perto de mim, mas mesmo depois que me explicaram continuei desconfiada, Agora e na hora de nossa morte amém, que hora era essa, a hora de nossa morte, como se fôssemos morrer em apenas um momento, estávamos morrendo já ali mesmo enquanto eles rezavam, com o detalhe de que por sorte neste preciso momento o corpo venceu, agora venceu de novo, e venceu agora também, até que de repente não.

Antônio jovem tinha muito ímpeto, era um tipo franzino, mas conservava os melhores bigodes, numa época de vastos bigodes, era ousado com os cabelos e cores das calças, tínhamos um fusca também bastante colorido, casamos na igreja os dois sem entender muito bem por quê, era o que se fazia e pronto, até que a morte nos separe, na hora de nossa morte amém, então íamos a muitos bares, uns shows de bandinhas dos amigos dele, eu sempre com medo de tudo porque era ditadura, eu ficava paralisada, culpadíssima de querer tanto sobreviver, acabei me afastando de qualquer amigo que poderia ser assim mais interessante porque os muito interessantes tinham a tendência a estar ocupados em derrubar o regime, e eu preocupada com a minha integridade física, chorava todo dia por ensinar sujeito, predicado, adjuntos adnominais, permanecer totalmente não revolucionária, por favor, nem um pouquinho revolucionária, amém, não cabe revolução na gramática, cada transformação custa um século, e o Antônio contente dirigindo o fusca, ímpetos.

Às vezes voltando do Largo onde bebíamos de pé ou mal sentados em meio à raspa dos artistas de circo tocando nos botecos cada um seu instrumento à procura de um contratinho aqui ou ali à caça de empresário ou coisa assim, enquanto o Antônio com suas mãos de óbitos e perícias batucava a mesa ou então sacudia o saleiro empedrado tentando acompanhar a sanfona sem notar atrás de si o malabarista desesperado por atenção – isso era às segundas e terças-feiras na folga do pessoal dos circos, o que pra mim era ruim porque as aulas começavam cedo, mas o Antônio gostava de me exaurir para que nunca coubesse um filho nos meus horários –, pois bem, às vezes voltando do Largo eu tinha certa pressa, uma agonia, tínhamos de escapar logo dali porque o fusca num quarteirão escuro distante das cantorias, a viola triste abafada pelos prédios, e eu temendo ai meu Deus se pensam que somos alguma coisa, terroristas importantes, artistas subversivos, e o fusca engasgando sem ligar nas noites mais frias e eu aflita, Antônio vamos com isso e ele insistente na chave, o fusca tossindo teimoso, não tinha absolutamente ninguém da polícia interessado em nós e no entanto o fusca aprontando dessas e um carro que não sai com naturalidade é sempre uma coisa suspeita, houve uma noite em que o Antônio precisou pegar a minha meia e dar um nó para substituir a correia da ventoinha que quebrou e eu tive certeza de que íamos presos porque apenas um casal engajado em alguma luta estaria no meio da noite no centro colocando uma meia nas engrenagens do fusca, o fusca que era o que tínhamos de mais heroico.

É vergonhoso ser assim tão apaixonada por estar viva quando os melhores estão dedicados a muito mais e além.

Ele queria fazer tudo isso pra sempre e de fato era uma vida boa de se levar, tínhamos férias regulares e saíamos com o fusca, cachoeiras, praias, eu quis muito ter uma filha, parei a pílula, ele chorou, bateu portas, depois beijou minha barriga dura e grande, mas ainda chorava e batia portas, depois era só a Camila que podia chorar.

Se eu coloco hoje a mão na minha barriga é muito claro que ela esteve cheia, eu não tenho mais a menor dúvida, não consigo sequer entender como foi possível que algum dia eu tenha dito para a Rosa que nunca tive filhos, Camila é minha maior certeza e eu quis tanto que ela existisse porque não tem o menor cabimento uma pessoa assim apaixonada pela vida como eu não querer viver o amor mais intenso, pelo menos era isso que a Aurora jovem sentia, e também a vontade de ter um dia uma filha de quarenta anos e nunca ser uma velha sozinha com um jabuti silencioso no quintal tendo como única lembrança e conquista da juventude as varizes trombóticas turbinadas por anos de pílulas anticoncepcionais.

Desde o primeiro instante em que eu soube que tinha um filho dentro da minha barriga e mais ainda assim que segurei a pequeníssima Camila, já entendi que todo o meu tempo passaria a ser dela, não diretamente, mas absolutamente, tudo voltado para precaver, ou antever o que pudesse ser contra ela, como é frágil a vida porque o tempo todo se exaure combatendo nossa morte, é sempre a hora da nossa morte.

O filho é isso, esse grande potencial da pior fatalidade, inteira condensada na maciez extrema, cada lufada de amor que me arrebatava de um lado me golpeava em seguida pelo outro lado com toda a força do medo de perder Camila.

Minha filha pequenininha me trazia uma dobradura banal que tinha feito, um encanto, e em seguida virava-se correndo para outra ponta da casa e eu de imediato tolhia o gesto, correr é o maior dos descuidos, e então ela desacelerava, por obediência e também por um gérmen de medo que ela vinha aos poucos nutrindo sem entender ainda o que é a morte.

Este quarto vai ficando fedido de um cheiro que não é meu, ou então fui eu que esqueci também que sou velha e que portanto este é o cheiro de velha, mas duvido, é uma coisa de ferrugem, os pregos nessas maçanetas baratas, o lençol que arranha, sou tão desacostumada a esse lençol que chego de novo a pensar que sou rica, famosa, daí dou risada, há poucas famas possíveis para uma professora de português e é bem provável que não cheguem a se chamar fama, o nome que devem dar é notoriedade, que é a fama possível para aqueles que fazem algo tão impopular que só podem mesmo ter fama entre seus pares, um prêmio consolação.

Nem isso, porque já há muitos dias minha foto está na internet. A Rosa antes não queria colocar a foto, ela ficou com receio de receber alarmes falsos sacanas, não foi sacana que ela disse, foi mal-intencionados, alguém querendo se passar por meu marido, filho, quem é que vai vir reclamar uma velha que não é a sua, as disputas são sempre para devolver a velha e não para ter uma em casa.

De fato, não me procuraram. Rosa fica frustrada, diz que sou intragável, daí ri muitíssimo e me dá um beijo na cara, que não quer mais me ver pela frente, que logo mais a gente acha alguém, e eu vou lembrar meu nome, que eu quero tanto que seja Aurora, lembrar meu endereço, o quintal onde um dia viveu felicíssimo um cachorro que eu amava tanto, Perdoai, o nome do cachorrinho, vira-latíssimo, pelos tão confusos que era comum não sabermos onde estava a cabeça e o rabo, dizíamos Perdoai e ele abanava o rabo e então sabíamos da cabeça, esse foi meu último cachorro.

Na verdade tínhamos dois, o Perdoai e o Ofendido, que ficava sendo apenas Dido, mas Dido foi embora um dia, viu o portão um instante esquecido e partiu, segundo o Antônio partiu ofendidíssimo – esse homem tinha sempre uma piada a fazer – e nunca mais quis ou soube voltar, vai ver ficou como eu, sem lembrar quem era e onde ficava sua casa.

Camila tinha quatro anos, desconsolada, como um bicho ia embora assim, sem dizer aonde ia, se aqui ele tinha tudo, se nós o amávamos tanto, mas logo ela superou essa questão por outra maior porque umas semanas depois o pai foi embora, aproveitou um instante do portão aberto e saiu, não disse aonde ia, nem se despediu, mandava algum dinheiro, desconfio que às vezes espiava o quintal só pra ver como corria o Perdoai com a sua pelagem varrendo a grama e se tornando um adorno repleto de berloques. Só mesmo o cachorro ele via, não a filha, que essa ele nunca quis que existisse e eu que me iludi que viriam uns hormônios ou qualquer coisa de instinto e ele se tornaria pai mas faltou parto ou hormônio, ou não sei, a Camila segurando o brinquedo que o pai tinha comprado semanas antes me perguntava com seus olhinhos o que é que faltava nela e não faltava nada meu amor a coisinha mais perfeita, agora somos nós duas e o Perdoai, e eu me perguntava como ia consolá-la quando um dia morresse aquele cachorro e tivéssemos de cavar um buraco no jardim.

Quase um ano depois que Antônio foi embora, levei Camila como sempre até uma praça ali próxima, o Perdoai seguia ao lado sem coleira porque ao contrário do Ofendido e até mesmo do Antônio ele nunca se afastava de nós. Estava perto do Natal, as casas tinham uns enfeites deformados repetidos dos outros anos, ela ia saltitando, mãos dadas comigo.

Na praça tinha um parquinho com areia, eu detestava aquela areia porque pode dar leptospirose, os gatos e ratos acham que aquilo é um banheiro. Pessoal se uniu e a prefeitura fez um gradeado em volta da areia e do escorregador, uma placa proibindo animais.

Deixei Camila cavar bastante a areia com as unhas feito um bichinho porque era isso que a sociedade exigia de mim, que eu permitisse que a minha filha usasse os instintos as mãos a língua o tempo todo o mundo contra mim e os meus laços o meu cuidado era uma culpa de tolher inteira a vida da minha menina que ia crescer parecendo um cacto pontudo e hostil, imóvel no seu canteirinho, então era isso que eles queriam, a Rosa vai ficar chocada, ela diz que não se pode prevenir tudo só que eu poderia prevenir, eu já detestava aquela areia mas todas as mães deixavam as crianças praticamente enterrarem umas às outras em todas as areias, é importante para que cresçam respeitando a natureza e o meio ambiente e eu pergunto quando foi que o meio ambiente respeitou a minha família.

O Perdoai saiu andando sozinho na direção de uma árvore, a parte do corpo dele que era certamente o rabo abanando sem parar. Estranhei e fui atrás. Camila quieta no cercadinho em contato com a mãe-terra, era Antônio ridículo atrás de uma árvore, o cachorro festejando como se tivesse ele próprio heroicamente encontrado o dono perdido.

O médico disse que eu tenho ilhas preservadas de memória, gosto da imagem, mas como saber se são ilhas ou, ao contrário, miragens de oásis no meio da minha indistinta porção de terra.

Uma vez pedi na prova para a turma o conceito de ilha e um aluno dos mais ternos chegou a ultrapassar as linhas descrevendo em detalhes o lugar mais lindo em que já esteve com o avô, Ilha Comprida era o seu conceito de ilha. Aceitei.

Agora que tenho um médico intrigado com meu distúrbio poético e não posso ser passada para trás por ele com aquela cara desafiadora e cheia de empáfia estou estudando memória também então posso dizer que essa mesma situação é lembrada pelo cachorro de outra forma.

Perdoai lembra-se talvez do cheiro da Camila e do súbito cheiro saudoso do Antônio despontando entre as árvores, então a textura da terra e pedrinhas da praça nas almofadas das patas derrapando na corrida, as imagens são poucas, sem cores, a criança fica sendo um borrão ao longe, e então as vozes humanas que são sempre disparatadas ganham um tom mais agudo e caótico, o volume doeu nos ouvidos, isso ele lembra, por anos o esgar de sobrancelhas e crispar de lábios humanos vão alarmá-lo pelo trauma do barulho dos gritos, ao que se segue o instantâneo desaparecimento dos humanos e à noite ele retorna sozinho ao quintal, foi um grande dia.

Perdoai festejava Antônio que, quando me viu, fez que ia sair correndo, mas começou a chorar – o Antônio, não o cachorro –, achei que ia pedir pra voltar mas essa era a última coisa que ele queria, a vida dele estava arruinada porque tudo o que mais amava ele não podia suportar, aquela menina era um anjo, ele ficou dizendo, meio baixo pra ela não ouvir, babando e cuspindo no meio do choro, mas ele não aguentava, não era pai, era mentira que ele era pai porque não cabia essa palavra nele, e eu não sabia se consolava, se chamava Camila para ver o papelão do pai, e então ela gritou muito alto.

Acudimos depressa os três. O cachorro não podia entrar no cercado, mas entrou mesmo assim e acabou em luta com alguma coisa que se esgueirou depressa pela areia. Antônio viu: um escorpião.

Três dias de internação, nada continha os vômitos, a perninha endurecida numa imensa auréola vermelha e quente em torno da pequena pústula, não resistiu, a Rosa diz que tenho medo de tudo, mas como ser diferente se a vida é um fio solto no meio da morte. Acabou que foi para o cachorro que eu tive de explicar o desaparecimento total da criança da casa, que não enterramos no jardim e então Perdoai nunca pôde entender o abandono.

Pensei que eu não fosse sobreviver ao Natal ou à virada do ano, mas fui vivendo uma a uma cada noite, toda do avesso, encolhida na caminha da Camila que tinha cheiro de lavanda.

Nunca mais ninguém ouviu falar do Antônio.

**SEIS**

A Rosa trouxe dezoito fotos de cachorro pra eu apontar qual parece o meu e a partir dele lembrar muito mais. Evocação, o médico disse, e eu gosto de rituais chancelados pela medicina. O remédio que ele passou contém na bula a palavra agonista, também estou satisfeita com isso, um transtorno poético só se trata mesmo com algum tipo de agonia.

O meu cachorro está sozinho no meu quintal que não lembro onde fica, está sofrendo muitíssimo achando que deixei de amá-lo, não sabe que é impossível deixar de amar um cachorro.

Ela diz que se esse cachorro de fato existe os vizinhos já acolheram, ou acabaram com ele. Que adiantam dezoito fotos de cachorro se o Perdoai é vira-latíssimo, não lembro a cor, mas é uma mistura tão total que constitui a essência, o cachorro absoluto.

Não adianta, Rosa, Rosinha, Rosa-do-céu, as fotos não têm nada do meu Perdoai. Ela riu desse nome, mas é um nome muito querido, minha amiga Camila tinha acabado de sair do coral num começo de tarde de sábado e foi me encontrar lendo numa mesa de bar na praça, aposentadíssima, plena, daí fomos num evento de plantas, no fundo do evento de plantas tinha é claro cachorros massacrados pela vida, miseráveis, numa jaula improvisada, implorando que duas senhoras vizinhas e amigas de toda uma vida adotassem pelo menos dois deles para serem amigos de toda a vida, então o meu ficou chamando Perdoai e o dela Ofendido, mas só dizíamos Ofendido quando dávamos bronca, normal era Dido.

Não sei muito sobre o que me tornei, mas é certo que sou uma pessoa que tem sonhos de vida enquadráveis em pequenas imagens precisas, eu seria totalmente feliz se alcançasse ao menos um dos meus quadros de perfeição, mas sempre algum detalhe me escapa. A ideia de duas senhoras amigas de toda a vida criando e passeando com seus dois vira-latas igualmente amigos da vida era toda a minha motivação, e realizei dedicada todos os passos para alcançar essa felicidade, caminharíamos sorrindo pelo bairro, também nos parques. Com o tempo os dois seguiriam soltos, sem coleiras, saltitariam um do lado do outro disputando a bolinha que jogaríamos ora ela, ora eu, sem interromper o assunto, porque temos muito assunto, Camila e eu, depois levaríamos os dois à praia, ficariam duros e salgados amaçarocados de areia e, como não teríamos filhos a perder, os cachorros poderiam lamber nossa boca enquanto riríamos estiradas na canga e eu seguraria a mão dela e com a outra ela abriria uma cachacinha de bolsa e sorriria com os dentes transbordando e me diria que puxa que bela vida nós levamos assim com todo o tempo que tivemos pra nós e enfim exaustos os cachorros dormiriam no pôr do sol aninhados um no outro.

Porém duas semanas depois que os pegamos da jaula da ONG no fundo do evento de planta os dois desenvolveram um ciúme doentio de machos e só havia ofensas e nenhum perdão, chegavam a arrancar sangue e babavam rosnando à distância quando pressentiam um ao outro, Camila e eu tínhamos de revezar o cachorro que ia nos acompanhar nos passeios, mas nenhuma queria deixar o seu sozinho, o Perdoai já identificava a ligação telefônica e ficava com as orelhas em pé, e acabou que por causa deles nos víamos cada vez menos.

Era tanto o ciúme que um atendia muito mais pelo nome do outro, e de tanto acudirem trocados quando os chamávamos, tropeçando nas próprias brigas, aceitamos trocar os nomes, e Ofendido ficou sendo Perdoai e vice-versa.

Houve outros quadros ideais da minha vida que, antes deste, falharam por algum detalhe. Eu queria tanto ter um filho, de preferência uma filha com Antônio e cada um de nós seguraria uma das mãozinhas dela, uma foto a cada ano de vida na mesma posição e quando ela tivesse quarenta anos, que é a melhor idade de um filho, ela nos faria ficar na mesma posição para uma foto igual, os pais idosos, que é isso que pensaria que sou, idosa, não combina comigo, prefiro velha, consigo acreditar mais, ela seria tão gentil, faria um álbum com todas, não na internet, um álbum revelado mesmo, que eu adoro a palavra revelar, no tempo em que se revelavam as fotos as imagens não existiam até que fossem reveladas e as lojas se chamavam reveladoras e os nomes eram variações de revelaphoto e quando a pessoa ia buscá-las havia a emoção de adivinhar se aquela, exatamente aquela cena se revelou ou falhou, porque também tinha isso de as imagens falharem, como as minhas imagens dos sonhos ideais, que no fim não constavam do meu envelope na Aurora Revelações®.

Antônio não quis de forma alguma o filho e eu tonta me perdi naquele homem que nem era amplo nem vasto, era facílimo sair das suas dimensões, ainda assim ele era a perspectiva de outra imagem que eu também poderia revelar à perfeição e que de fato funcionou por muitos anos, era o nosso romantismo indefectível tépido cálido, todas as palavras confortavelmente sensuais cabiam no nosso amor, mas para a imagem completa ficar realmente revelada era preciso envelhecermos juntos, eu precisava ter nele o registro de toda a minha memória, a cumplicidade de uma vida inteira. Antônio morreu mal tinha começado nossa aposentadoria.

    Vou dizer à Rosa que é por isso que demoro a lembrar a minha vida, não foi revelada, fui buscar minhas fotos e o rapaz falou que o filme todo queimou, ou então não sei, ficaram todas borradas, minha vida foi um grande dedo na frente da lente, o fotógrafo dizia Sorriam, mas sempre faltava alguém na foto, e sempre o dedo na frente.

**SETE**

As minhas aulas tomavam toda a manhã e um pouco da tarde, e antes de anoitecer ainda dava reforço para o neto da vizinha em retribuição por olhar a Camila para mim desde seis e meia da manhã, eu deixava minha filha na porta e se a vizinha demorava dez segundos para abrir eu já me impacientava, inteira atrasada num estado inviável de nervos, era tão cedo que a vizinha mal me olhava, eu trocava uma criança por outra, saía com o menino dela que era bem mais velho e entendia tão pouco de estudos, a Camila subia devagar os degraus, ainda atrapalhada com a fralda ampla de panos embolados, e acenava sonolenta um tchau resignado, às vezes eu não tinha tempo de retribuir e depois no meio da aula lembrava e me culpava, meu Deus não dei tchau para a minha filha.

O moleque batia a porta do fusca que o Antônio tinha amorosamente esquecido comigo e cochilava até chegar na escola, o que não dava nem dez minutos de corrida, ainda dava trabalho removê-lo do banco.

Chegando na sala de aula mesmo tão cedo a maior dificuldade era pará-los, comecei a pensar se tinha vocação para isso que era silenciar um número excessivo de alunos do primário apinhados em carteiras rompidas e embriagados do álcool do mimeógrafo, meus ombros doídos de girar as cópias enquanto eu calculava qual a frase possível para motivá-los a ouvir-me mais esta manhã, o que poderia calá-los, e a isso se somava outra linha de pensamento que era indagar-me quanto tempo mais aguentaria deixar a minha filha com aquela senhora silenciosa e frouxa, já fazia mais de um ano que ela olhava a Camila e digo apenas olhar mesmo porque ela não dava conta de nenhum outro verbo, minha filha crescendo num ambiente sem verbos.

Um aluno arremessa no outro um estojo de lata a ponto de abrir-lhe o supercílio, arma-se no entorno uma comoção que evidencia que eu jamais terei algo importante para ensinar, o menino que arremessou me atravessa com alguma insolência em palavrões que nem domino, é imediata a raiva que sinto e em seguida a tontura porque um professor não pode ter raiva de uma das suas crianças, se ele arremessou o estojo, Aurora, você precisa investigar se o pai dele anda arremessando coisas dentro da casa, isto aqui são anjos impolidos.

Apenas mais um supercílio aberto de tantas as peles que se abrem, passo uns minutos sem me lembrar de Camila e quando ela me toma a mente é como um afogamento abrupto, sento na minha cadeira enquanto se engolfam em mais gritarias, serei eu o árbitro deste caos?

E quem salvará a mãe que deixa sua menina que não tem nem dois anos aos cuidados da vizinha triste, pessoas tristes não servem para olhar crianças, mas eu me consolava, não tinha outra opção, a minha mãe estava convenientemente morta, uma vizinha era a solução que todos procuravam, uma pessoa que não tem vizinhos não tem nada, eu trocaria todos vocês por um minuto da minha filha, eu detesto estar com vocês em vez de estar com a minha filha, mas isto é vocação, a didática está inteira em mim, eu preciso que vocês escrevam corretamente e também aprendam sobre saneamento básico, sou a responsável pelo engrandecimento dos cérebros de vocês e isso também é um fardo que tensiona os ombros, e se eu não conseguir, não parece que estou conseguindo, o ano avança e vocês continuam mentecaptos, já quase não são crianças e no entanto não há uma frase que escrevam sem percalços e eu não sei se o problema sou eu ou a falta de nutrientes nas cozinhas de vocês porque as suas mães sozinhas também estão estafadas em algum lugar talvez imaginando com que professora elas vêm deixando os filhos todas as manhãs, será que é uma professora triste, e talvez tenham pena de mim porque se pra elas já é tão difícil com um ou dois destes aqui imagina tantos, até as risadas de vocês me irritam porque não são cândidas ou graciosas, são de um humor sórdido e empobrecido porque vocês estão se tornando mais burros e se há algo que eu possa fazer contra isso não estou conseguindo fazer e o ano passa e a vizinha continua olhando a minha filha sem lhe ensinar uma única palavra.

A minha aluna preferida lança ela própria uma bolota de papel inofensiva sobre o amontoado de colegas e volta a sentar-se, incomodada como eu, sorrio para ela, que retribui tímida, depois folheia o caderninho, ignoro a questão do supercílio e passo a preencher a lousa, o preenchimento da lousa tem o poder de trazer alguns de volta às carteiras, qual o aumentativo de cadeira, qual o plural de o aluno faz silêncio.

Nessa época não fazia tanto tempo que o Antônio tinha escapado de nós, escapado é uma boa palavra diante do que nossa vida tinha se tornado para ele. Eu ainda tinha alguma esperança de que ele voltaria, de toda forma a Camila continuaria com a vizinha, porque o Antônio o dia todo no Instituto Médico Legal, a não ser que ele aceitasse o período noturno para cuidar da Camila de manhã e depois dormir, mas daí isso seria outra pessoa, não seria jamais o Antônio, e é preciso fazer setenta anos para assimilar uma coisa dessas.

Depois do parto, enquanto eu imergia no cabedal de ensinamentos acerca de um recém-nascido, o Antônio se afundava, talvez literalmente, na várzea em torneios de futebol que eram cada vez mais amplos a ponto de terem a audácia de chamá-los de Festival, passava quatro ou mais finais de semana escapulido de casa no *Festival* com os times de vários bairros, ele jogando tanto melhor quanto mais queria estar longe das fraldas e choros. Eu sei que algumas esposas até levavam as crianças pra tomar sorvetes vendo o pai jogar ao som de alguma desfalcada bateria de escolinha de samba, mas eu não ia ser essa esposa que vê futebol de marido com os braços apinhados de filhos e de toda forma ele não convidava.

Nem ficava bem um homem daquele no futebol, bigodudo e comprido, um traquejo involuntário meio lombricoide nos quadris.

O pior era aguentá-lo na semana à mesa do jantar, o bebê finalmente dormindo um pouco, ele entusiasmado com a arbitragem do próximo jogo, e talvez um ônibus fretado para levar alguma torcida, e quanto mais ele me dava palavras do léxico futebolístico menos fazia sentido aquela família que talvez ele já estivesse bastante empenhado em desagregar.

Então era isso que eu tinha, uma vizinha desenergizada que olhava a Camila em troca de umas aulas para o neto delinquente enquanto as aulas na escola pública que inclusive era a melhor da região sugavam todas as minhas iludidas pretensões de influenciar e elevar criaturas, num desgaste que atacava o meu refluxo e um salário que chegava a me fazer escolher se eu compraria papel higiênico para mim ou carne para ela, e isso é um exemplo aleatório, mas é irônico porque minha mãe tinha sido mais ou menos subgerente de um subsetor de fábrica de papel higiênico e nem para isso ela me valia àquela altura.

Deve ter sido assim, sem saber se estava rouca de gritar com alunos ou do reflexo de nervoso por ter gritado tanto com alunos, que eu arranjei um segundo emprego, à tarde, como substituta, auxiliar e apoio de uma escola particular encantadora, três funções inexistentes na outra, e a Camilinha passou a ficar ainda mais tempo na vizinha, mas era só por mais um aninho, até que fosse aceita no maternal dessa escola colorida, e a vizinha apesar de silenciosa resolveu que tinha de cumprir uma função na Terra e essa função era fazer a minha filha largar a chupeta, então sem que eu soubesse minha filha passava as manhãs e as tardes chorando uma falta carnal inestimável, sem entender por que a privavam de tudo o que mais importava na vida e acumulando um turbilhão insondável de desgostos.

Enquanto no turno da tarde eu fazia uma letra A cursiva gigante no chão do pátio só com itens da brinquedoteca para as crianças sentirem o formato da sua primeira letrinha, minha filha no quintal da vizinha enxugava o choro na toalhinha catingada, depois encontrava em algum saquinho que a vizinha jamais saberá me explicar, silenciada para sempre em choque, uma bala que entala perfeitamente na sua gargantinha, as balas que depois protegeram as gerações futuras com furinhos ergonômicos mas não pouparam a minha filha, eu tinha avisado tanto que não era pra tirar o olho de cima dela, era para olhar a minha criança enquanto eu olhava trinta e seis, nem ao delegado ela soube o que dizer, eu queria que dessem um tapa na cara dela para que falasse, o pescoço chicoteando para trás, as lágrimas num rompante entre as rugas, no entanto o delegado alisando com a ponta dos dedos o papelzinho da bala, todo lastimoso, uma tragédia.

## OITO

Hoje a idosa acumuladora me perguntou se eu vou usar esta bandeira para alguma coisa ou se posso doar para ela. Não tenho uma bandeira e então é isso, há outras loucuras nesta mulher e foi iniciado um diálogo, não tenho mais saída.

Pior, o gestor mandou me avisar que eu preciso fazer minha evocação depressa – ainda não sei se ele estava caçoando da palavra no meu laudo ou se também achou o máximo – porque logo mais será inevitável uma colega de quarto, já estão quase todos aos pares e aos trios e eu com meu quarto provisório de princesa, há limites para que uma velha seja provisória e ainda mais para que seja princesa. E se alguém me vir falando com a acumuladora podem achar que temos afinidade, e pronto, apinham o colchão dela ao lado do meu.

No fim o que ela queria era o meu guardanapo, resquício da Copa passada ou retrasada que o abrigo desentulhou de alguma despensa porque acabaram os outros, é a bandeira deste triste país lamentavelmente desbotada, entrego para ela sem limpar o feijão dos lábios, e ela guarda depressa no sutiã antes que tomem dela. Digo dentro da minha cabeça Aurora fique quieta não continue o assunto você é provisória neste local uma princesa provisória continue comendo, mas eu faço uma pergunta casual, você gosta de bandeiras?

A acumuladora é bem mais nova que eu, o drama que é já existirem idosos bem mais novos que você, ela não deveria gostar de bandeiras, bandeiras são para crianças e quando um adulto continua gostando é porque faltou alguma coisa, amor de mãe, proteína animal.

Uma vantagem de ser criança é poder gostar de bandeira de país, do seu país, e até chamá-lo de pátria, eu aliás amava quando a mãe me levava nas festividades do Dia da Pátria, as ruas organizadíssimas, sem a desordem do carnaval, os espaços todos bem marcados, a avenida preparada para a Parada Militar, lá em cima no palanque alguma autoridade, um monumento ao patrono do exército, o povo todo separadinho do desfile, tão diferente do caos do carnaval que agredia aquela criança sistemática que eu era, a cerimônia segue imponente com as tropas nas suas hierarquias que aos meus olhinhos equivaliam à alegria de uma ala das baianas, porta-bandeiras, isso tudo muito antes de sermos verdadeiramente ensinados a obedecer ao exército, eles ocupavam a minha infância como um pai protetor que eu não tinha, e era bonito abraçar a bandeira sentindo que o meu país era uma espécie de animalzinho adorável que se pode acolher num manto verde azul e amarelo e celebrar seu aniversário todo ano, bom menino.

Depois é isto, o país nos enche de culpas porque ou você é uma heroína ou você uma hora larga de vez as aulas no ensino público.

A acumuladora é bonita para a idade. Bonita para a idade é outra frase que eu gostaria de retroceder, não está mais aqui quem pensou em bonita para a idade e tampouco quem continuou o assunto com ela, você gosta de bandeiras? Contudo ela me surpreende na resposta imponderada: eu gosto de tudo.

A acumuladora é intensa como somente uma mulher que acumula pode ser, é indescritível a sanha com que se agarra aos panfletos, guardanapos, notícias que coleciona quem sabe como um registro do último mês que passou, outro dia todos ouvimos o seu brado retumbante, seguido de um choro sincero, os braços se agarrando aos próprios braços num consolo que não vinha, enquanto coletavam do seu quarto todos os copos descartáveis que reuniu a cada tarde após seu almoço, ela termina o suco em pó no quarto e então é impossível desfazer-se do copo já que é uma mulher que gosta de tudo.

Começo a me lembrar do guardanapo que acabei de entregar a ela e de fato parece adorável, é algo que se pode mesmo adorar, a estampa diluída desde a copa faz parecer um registro fotográfico da nossa infância quando podíamos amar bandeiras sem parecermos tolas ou perigosas, e cada vez que eu olho para esta senhora me parece mais possível viver aqui para sempre.

## NOVE

Foram três vezes, eu achei que era impossível pensar uma coisa dessas de um filho que existe e já se tornou toda a razão da sua vida mas há uma linha de abstração a que as mães têm direito e segue paralela ao amor materno, sem afetá-lo, e nessa linha abstrata foram três as vezes em que cheguei a pensar que teria sido melhor ela nunca ter existido, são brevíssimos pensamentos que não chegam a tomar a forma de palavras mas ficam cravadinhos no peito ou no estômago, e no geral têm a ver com o tamanho insuportável da dor que a gente percebe que um filho é capaz de provocar com a ameaça do seu perecimento.

A primeira vez teve relação com abaulamento da moleira, a moleira é uma coisa que existe para dizer aos pais que eles têm uma missão e essa missão é garantir que aquela cabeça ainda aberta permaneça imaculada, é só isso, não deixar cair, não golpear. Parece simples mas pode ocupar todos os espaços vazios das ideias de uma mãe, não se pega o bebê minúsculo sem tatear com os dedos os espaços vagos, suspira-se a moleira, lamenta-se a lentidão geográfica das suas placas, se eu fosse de rezar teria rezado, não nos deixeis cair sobre a moleira livrai-nos do mal, perdoai nossas ofensas, ofendido, amém.

Não houve nenhum abaulamento, nunca. Mas era a possibilidade de havê-lo que uma vez no seu extremo plantou um susto de pensamento dizendo que era melhor não ter tido aquela criança já que a minha vida – aquela vida que eu sempre amei mil vezes mais do que os outros pareciam amar as suas próprias vidas e de um jeito paralisante a ponto de ter passado tantos anos bem quietinha pra não provocar nenhum general, porque a minha vida era a coisa mais importante do mundo – tinha sido completamente arruinada pela mera hipótese de abaulamento da moleira da Camila.

Mas então a cada dia que a moleira resistia minha bebê aprendia algo novo, um sorriso, uma sílaba, e que coisa impressionante e total e absoluta era isso de se entregar inteira para fazer outra pessoa que na melhor das hipóteses seria igual a você quando chegasse à maravilha dos quarenta anos.

A segunda vez foi quando aos onze ela teve uma apendicite primeiro silenciosa e depois aguda, agudíssima, já com todo o poder acumulado na fase silenciosa, e apendicite é uma coisa irritante porque todos sabem que dói mas que pode se passar a qualquer um e então tudo bem, eu estava dando aula e vieram me chamar porque no outro andar a minha filha convulsionava de dor e inflamações, depois já no hospital cada hora era uma notícia e a inflamação já tinha tomado conta de tantos órgãos, órgãozinhos o médico dizia, como se a criança fosse eu, e talvez fosse, e eu sacudia os ombros do homem, a textura do avental na minha mão, era só uma apendicite homem-do-céu, e ele simplesmente não dizia que tudo ia ficar bem porque ele não sabia e naquele momento ele era tudo que tínhamos e eu me imaginei saindo daquele hospital sem a minha Camila que ontem mesmo tinha ficado até tarde fazendo lição de casa ainda que indisposta mas sem querer alarmar a mãe porque a sua não é uma mãe que se possa alarmar sem graves consequências mas vejam só o que é uma grave consequência e aprendam que o medo e a precaução estão sempre certos e andam juntos, eu ia perder a minha filha para uma apendicite que é uma doença de merda que qualquer idiota tem e trata, e a única coisa que me restaria a fazer no auge dos meus quarenta e poucos anos, a idade perfeita, era encerrar de imediato a minha vida e eu pensei meu Deus se era pra morrer assim aos onze anos porque razão você foi existir e esse pensamento veio apenas para me carimbar a chumbo quente e escapar de imediato, dias depois ela ficou bem, fomos pra casa, as amigas da escola fizeram uma roda em volta perguntando coisas que ela respondia como um médico, inflamou todos os órgãozinhos.

A terceira e definitiva vez foi aos quatorze dela, cursava a mesma série em que eu lecionava, mas em outra turma, o colégio evitava coincidir professores com seus filhos alunos, algum problema de autoridade, e então houve uma grande viagem que congregava diversas disciplinas, os jovens veriam rochas específicas, basálticas areníticas magmáticas lá sei, e então veriam usinas, nascentes, cachoeiras, culminando outro dia num centro histórico com igrejas de séculos atrás, provavelmente casas de taipa, esculturas religiosas, construções barrocas e rococós cujos ângulos eles estudariam com esquadro e compasso, e refeições não inclusas. Depois chegariam à praia para uma última noite recreativa em que alguns iludidos planejavam perder a virgindade com estilo, público e humilhação.

Os professores chegaram a me perguntar se eu não conseguia incluir alguma atividade no contexto da língua portuguesa, mas eu discordava da viagem, o Português estará como sempre em toda parte, repliquei, até pensei em propor escanção dos cânticos das igrejas, poetas locais, optei por uma redação, na volta, relatando a viagem, seria feita ao vivo, sem qualquer consulta, a cada erro perderiam um ponto, para aprenderem a substituir as expressões que não dominam por outras mais simples, meus colegas acharam uma atividade enfadonha e desestimulante, mas era sempre assim, por troça começaram a me chamar pelo nome de alguma personagem da novela da época, já não lembro.

E então essa foi a terceira vez que por um instante cheguei a pensar que era melhor Camila nunca ter existido, na transição entre uma cidade e outra, já no começo da noite, os meninos suados provavelmente brincando de puxar os sutiãs das meninas por trás e soltar num estalo dolorido, não sei o que a Camila fazia, talvez uns fones de ouvido, ou dormia, ou beijava um daqueles imundos no fundo do ônibus porque só isso justifica que estivesse praticamente no último assento quando eu sempre lhe disse que o meio é mais seguro, na verdade os assentos 27 e 28 são os mais seguros, estatisticamente, apesar que o precavido não aceita estatísticas, não entra no ônibus e pronto, a estrada serpenteava uma montanha, a chuva, a noite, a areia, toda a metade de trás do ônibus morreu.

Havia uma diferença palpável entre mim e as outras mães, todas estávamos destruídas e sem a menor possibilidade de continuarmos a ter alguma coisa parecida com o que chamávamos de vida, mas elas ao contrário de mim estavam surpresas, incrédulas, perguntavam ao seu deus como é que foi acontecer uma coisa dessa com sua família, enquanto eu afundava na minha poltrona do Instituto Médico Legal sentindo que me tornava parte do plástico e nunca mais sairia dali, achei isso curioso, era possível que as mães não tenham pensado e adivinhado aquela e tantas outras cenas centenas de vezes? Era possível que não tivessem enterrado o filho em pensamentos sofridos em todos os contextos em que saíam de casa ou tossiam ou comiam frutas com caroço ou peixe com espinho?

Rosa vai ficar revoltada comigo mas essa é que é a verdade, as estatísticas vão muito contra cerca de quinze adolescentes brancos de classe média morrerem, mas é isso, eu não vivo estatísticas e são estes os fatos, para o precavido não importa que alguma fração de zero por cento de jovens morra de septicemia após um corte no joelho na quadra de vôlei, basta que tenha morrido um. Eu sempre avisei a Rosa que era melhor me deixar com minha história esquecida que se eu tinha esquecido devia ser por bastante motivo mas ela é assistente social então ela precisa fazer isso, assistir as pessoas a encontrarem seu meio social, a viverem dentro de uma sociedade e enquanto estou aqui ela não está fazendo bem o papel dela em me assistir porque este abrigo definitivamente não é a sociedade.

Antônio, naturalmente, estava no Instituto Médico Legal, há anos não ouvia falar nele, ficou com uma cara desfigurada esfacelada feito espelhasse os corpos e em seguida deu um jeito de sumir depressa e não foi ao velório, era capaz que mesmo depois de tanto tempo eu ainda amasse aquele homem e me desse conta disso quando ele surgisse no velório com seu melhor terno e uma flor, a cara inteira apagada porque depois de toda a covardia para surgir numa ocasião assim é preciso ausência de qualquer traço facial, e eu me jogaria aos pés dele chorando tudo que estava entalado, agora que Camila não poderia ouvir a minha dor eu seria inteira drama e ele seguraria meus cabelos sem chorar para manter a ausência de expressões, um vulto de homem.

Vieram todos os dezoito colegas de sala que não morreram naquele ônibus – a não ser os gravemente feridos – e os dos outros ônibus, jovens demais para acreditar na possibilidade da morte, deixaram faixas feito um protesto contra a tragédia, e eu concordo, como se pode viver e fazer planos num mundo onde tudo acaba tanto.

**DEZ**

Camila ficou sendo minha melhor amiga desde o momento que olhou pra trás e perguntou se encharcado era com ch ou x. Era antes do ginasial, tínhamos nove ou dez anos e eu não sabia por que ela queria escrever essa palavra no meio da lição de matemática, ou no meio de qualquer coisa, não usávamos a palavra encharcado e ela não me conhecia, era aluna nova, como poderia saber que eu era a colega certa pra fazer esta pergunta, fiquei encantadíssima, passei a viver todos os dias ansiosa pela próxima pergunta, temendo em silêncio que fosse uma palavra que eu não soubesse, ou regra, o ponto-e-vírgula ainda me era obscuríssimo, Senhor, que não seja uma pergunta sobre ponto-e-vírgula, e como estava demorando muito a próxima dúvida da menina, cutuquei suas costas, tão fraco que ela apenas se coçou espantando um tipo de mosquito, cutuquei mais forte e ela ainda passou um tempo fazendo o que quer que fosse, e gentilmente estendeu a mão para trás num gesto de que eu esperasse um instante, pronto, virou-se, eu já não sabia o que dizer, só queria que ela virasse de novo na mesma curvatura rápida da primeira demanda, a questão do encharcado, como era bonita aquela criança e como deve ser delicioso ser bonita, eu pensei, devem ser tão diversos os olhares que lhe dirigem, a forma como empurram uma menina bonita na quadra do recreio deve ser diferente, ali estava eu cheia de conhecimentos gramaticais e ela nada me perguntava, então eu disse Exceção é com cedilha, mas não estávamos escrevendo exceção, ela até se virou de volta para conferir o caderno, não tinha nenhuma exceção, então me achou louca e gostou de mim.

Encharcado ela tinha usado numa carta para a mãe em que pedia desculpas por algum detalhe doméstico, achei curioso isso, de precisar pedir desculpas à mãe por alguma besteira, e querer fazê-lo por escrito, com palavras que ainda não se sabe escrever. Depois eu passaria a vida tentando mandar na Camila a respeito dessa mãe que até no final já anulada de Alzheimer era capaz de exercer sobre ela um insólito congelamento que não combina com essa mulher que é espontânea e fluida.

Deve ser porque ela, como eu, também tem quadros e imagens ideais de vida e uma delas era o casamento perpétuo e a outra era a docilidade diante da mãe e esta última eu realmente custo a compreender, porque um filho, depois de crescido, o que ele mais sabe é que se tudo der certo sua mãe um dia vai morrer, então esse amor é desde logo moldado por essa falha de sincronia, uma relação que já nasce sabendo que na melhor das hipóteses está fadada ao encerramento inevitável, ao passo que as mães, ao contrário, entregam-se à expectativa de passarem o resto de suas vidas sendo a mãe daquele filho, e portanto aí sim tem-se uma relação determinante.

Já os amigos e companheiros oscilam nesta escala de mortes e é no mistério dos limites de suas contemporaneidades que reside a mágica das afeições. Eu amo Camila, a melhor amiga que alguém poderia ter, e não sei se vou enterrá-la. Posso imaginá-la chorando demais no meu enterro, ou pode ser que seja eu, por isso podemos nos amar de igual para igual, nenhuma está predestinada a abandonar a outra décadas mais cedo, nem a outra claramente agraciada de antemão com invejável sobrevida.

Já a mãe, não. Não vale a pena que Camila tenha dedicado todos os seus anos a moldar a personalidade à aprovação da mãe, e se não moldava gastava energia nas farsas, tudo por uma mãe que não estaria mais com ela durante ao menos toda a quarta parte da vida – isso claro se tudo desse certo mas não são essas as tais probabilidades? – justo no fim, quando somos tão nós mesmas, não haveria mais mãe nenhuma a julgá-la, então não compreendo o esforço. Encharcado. O que poderia estar encharcado, mamãe me perdoa não guardei os pratos estavam encharcados. Mamãe me perdoa. Mamãe.

Na semana seguinte em que ficamos amigas fui jantar na casa dela, Camila me forçou a ver fotos da sua primeira comunhão, linda de branco parecendo uma noiva mirim, o cabelo grosso preto brilhando na luz, a língua marota recebendo a hóstia, quando a mãe saiu da sala pra buscar a comida do forno Camila cochichou algo pra mim, não acredito em Deus, olhei de volta assustada, mas depois ri, ela tinha a cara seríssima na sua primeira rebeldia, e eu sacana já manjando as fragilidades, vou contar pra sua mãe, eu disse, em seguida me arrependi porque o efeito naquele rosto foi mais grave do que pude calcular e por instantes quase não achei mais a amiga que já amava tanto, ficou travada, endurecida de pavor do seu próprio deus doméstico que era a sua mãe, parecia não conseguir mais engolir a saliva em espasmos na gargantinha que era tão estrangulável, e eu pensei pela primeira vez como era fácil matar alguém, e no susto de corrigir a ameaça emendei um conluio, também não acredito em Deus, sem que aquilo pra mim tivesse um quinto do peso que tinha pra ela, mas ficou sendo nossa primeira lealdade, se para mim tanto fazia Deus ou não Deus porque minha mãe não se importava com a minha crença, para ela tripudiar em segredo de toda aquela liturgia era o mais longe que podia ir no desafiar da mãe.

Então comíamos o lanche dentro da capela da escola para que o banco de rezar fosse apenas um banco de sentar, e contávamos para o boneco de Jesus muitas fofocas da turma, para que ele ficasse menor, ficasse um amigo, e do tanto que vivemos ali sob a luz colorida do sol nos vitrais e no eco dos nossos sapatinhos no mármore e das nossas vozes amigadas com Cristo acabamos gostando cada vez mais da nossa própria ideia de Deus, até que um dia ela quis rezar, como uma rebeldia contra nossa rebeldia, ensaiamos o gesto, rimos tímidas, daí endireitamos o olhar para a Santa, tão benevolente, a Santa que era a mãe do nosso amigo Jesus e que portanto também podia ser a nossa mãe, desprovida de todas as ordens domésticas, inteira compaixão e colo, Santa Maria mãe de Deus rogai por nós os pecadores, ela rezou devagar e me olhou para que completasse, um jogral, Agora é a hora de nossa morte amém. Camila riu e me corrigiu, Agora E na hora de nossa morte amém, eu não acreditei, desafiei, a risada dela ecoou no teto celestial e um pouco de lanche escapou da boquinha.

Muito antes disso, quando minha mãe às vezes não tinha mais aonde me levar me levava à procissão. No meio do tumulto das canções e rezas eu ouvia Agora é a hora de nossa morte amém, o pavor que me dava aquilo, Jesus sangrando pendendo numa cruz sobre os ombros de umas velhas frágeis vestidas de preto, Agora é a hora de nossa morte amém, enquanto passávamos as casas abriam as janelas para ver a nossa morte, punham vasos com flores e toalhinhas rendadas, se algum de nós pedia água vinham logo trazer um copo cheio, estávamos sagrados e agora era a hora de nossa morte.

Camila me consolou com a reza correta, essas divindades em que combinamos não acreditar estariam conosco agora e na hora de nossa morte, Camila ficou tão confortável com essa nova mãe, a Nossa Senhora, e eu mesmo assim ainda não propriamente consolada, Agora e na hora de nossa morte, quando seria essa morte, será que eu me lembraria de Santa Maria mãe de Deus quando fosse morrer, e será que não estávamos morrendo ali mesmo a cada instante, tão frágeis.

Hoje eu não quis tomar sol no pátio nem ouvir nenhum desses idosos do abrigo, eles são idosos porque são sábios, cheios de noções e um pouco das loucuras de setenta anos de rua, eu não, sou velha, é outra coisa, ando muito bem sozinha, a postura boa, desde que me aposentei não tenho nem mesmo refluxo, se não fosse olhar para as minhas mãos ou para o espelho diria que tenho quarenta anos, e tenho vergonha de conversar com os idosos daqui porque eles sabem tudo e eu não sei nada, não é só que sabem da própria vida, é que a própria vida deles já foi saber demais, um deles, sem nenhum dente, gosta de contar aos outros que teve vinte e oito cachorros, dois de cada vez, todos morreram, cuidava muito bem, mas eles não duram, e ele fala o nome de cada um deles e vai mareando o olho, é uma coisa bonita de ver, cada dupla de cachorros é uma fase da sua vida, um bairro por onde perambulava com seu carrinho imenso de sucata e papelões, isso tudo ele fala para os outros porque eu evito que falem comigo, acham que sou totalmente louca e tudo bem, muda, até porque se eu falasse muito tudo que já destoa em mim ia destacar mais ainda nas frases completas com sujeito predicado os verbos nos seus lugares os pronomes concordando nominalmente, já quase cultivo um encanto por essa nova língua daqui, as frases espicaçadas ou então afetadíssimas numa eloquência forjada em verbetes, provérbios, salmos, começo mesmo a amar este lugar, não fosse a comida e os poucos funcionários, toda hora é um idoso que tomba da cadeira, discute por causa do jornal, discordam do jornal, discordam do outro que discorda do jornal, ou falam de netos que sumiram no mundo sem pagar nem mesmo o aluguel pra eles, e quando xingam demais os netos os que não sabem nada de netos dizem Ave Maria Senhor Jesus Cristo e maldizem os que xingam desse jeito a família porque cada um sabe a cruz que carrega e os netos podem estar até mesmo presos ou mortos.

Gosto quando a Rosa repete que já acionou a rede para tentar me ajudar, adora falar que acionou a rede, toda uma equipe socioassistencial deficitária e estafada. Uma rede imensa colorida toda trançada pendurada nas duas pontas da minha vida e eu deito no meio balançando de um lado para o outro, de um lado eu tive uma filha, a Camila, do outro lado claramente não tive filha nenhuma, melhor era ficar deitada quieta na rede sem balanço nenhum, com o Antônio quem sabe, e ele beijaria a minha nuca e me faria carinho no cabelo que nem quando casamos e ele romântico dizia que tinha muita sorte, agora teríamos outro cheiro, não o cheiro de água sanitária, urina e ferro deste lugar que mais parece alguma adaptação de delegacia antiga, mas o cheiro de velhos domésticos, que abrem pouco a janela e grudaram muito o olhar um no outro até ficarem com odor de guardados.

Ela, a Rosa, organizou um caderno para anotar os meus resumos e marcar a frequência das minhas memórias, porque senão eu fico teimosa, achando que encontrei a minha verdade, quando oito vezes no mesmo mês acordei dizendo outra coisa e outro nome, e então ela consegue circular o que é estável, minhas ilhas de memória, a infância com a amiga Camila, o casamento com Antônio, as aulas de Português, isso sim é um verdadeiro caderno de memórias, mas eu fico me perguntando, fora a necessidade da rede socioassistencial em me assistir na busca pela minha casa, qual a importância de assinalar meu caderno de memórias, se memórias são exatamente lembranças e se as coisas me vêm como lembranças que sentido tem circular as reais, que valor têm esses fatos se não a sensação que tenho de serem a minha história.

Rosa vai aparecer mais tarde, ou vai ser amanhã, com o caderno todo circulado, querendo indeferir as memórias que surgiram uma vez só, inválidas, incipientes, está achando que é médica, o pequeno poder que as pessoas têm, no fim me calha mesmo a Rosa que gosta de fingir que me odeia e me tratar como criança teimosa, mas é um amor de mulher de quarenta anos no auge da vida, um sorriso bom uma risada brusca num golpe de cabeça pra trás, a cabeleira frondosa, um balanceio no tronco, fica ajeitando a alça do sutiã que tomba dos ombros, eu poderia amar a Rosa, mas não sinto grande coisa, esqueci isso também, como amar novas pessoas.

A Camilinha tão graciosa comendo na capela da escola sem acreditar em nenhum deus e depois rezando muito para aquela Santa que era tão mãe e mais benevolente que a sua, eu poderia voltar nessa imagem e morar nela, essa criança encantada que era a minha nova amiga Camila, ao mesmo tempo desafetada, audaciosa e espavorida, mas não adianta voltar a nenhuma dessas imagens, não tenho ninguém para rezar comigo ao deus e à santa em que não acredito, bendita sois vós entre as mulheres, que sensação completa era rezar naquele escuro sob os feixes do vitral sem acreditar em nada e enquanto se recitavam os versos decorados, Agora e na hora de nossa morte amém, ir sentindo um turbilhãozinho no ventre, uma espiadela pelas costas, presença transcendental e mágica, uma criança olha para a outra, tremendamente céticas, mas agora sublimes, no meio da cumplicidade do ritual, dois sorrisos apertados de peraltice e medo de que algo parecido com um deus pudesse de fato existir ali, Ele está no meio de nós.

**ONZE**

Uma pessoa que se lembra da morte o tempo todo não pode lidar com burocracia. Toda vez que me dava conta de que estava numa fila para carimbar alguma coisa que depois seria levada a outro balcão, e mais outro, com uma pasta de papéis, para a carteira de motorista, o documento do fusca do Antônio – o fusca já foi circulado várias vezes no caderno de memórias, então Rosa fica muito contente porque o fusca é real e é importantíssimo que tenhamos tido realmente esse fusca décadas atrás –, a averbação da certidão de nascimento com a certidão de casamento, a fila no banco para gerar nova senha do caixa eletrônico porque a outra senha eu havia errado três vezes, tudo isso é incompatível com um ser humano dotado de finitude e constante consciência de sua efemeridade. Houve vezes em que a fila tinha demorado demais e eu tentava aproveitar aquele tempo lendo um livro mas não conseguia porque tinha de ficar dando curtos passos e ouvindo pessoas que conversam em filas mesmo sem qualquer conhecimento umas sobre as outras, e quando enfim era minha vez faltava um documento a ser obtido em outra fila, e nisso eu começava a chorar, o mundo sucumbindo sobre meus ombros, o atendente que sempre sente muito mas não pode fazer nada, e se me perguntassem se estava tudo bem eu diria que não, se ele se dá conta de que vamos todos morrer, e acabamos de perder duas horas, perdemos duas horas como se não fôssemos morrer, mas vamos.

E então eu imaginava a pessoa que enfrentou algum desses desvios de tempo e enfim obteve o que precisava e então morreu no dia seguinte e como foi que ela passou o último dia? Nas filas para um documento que não precisa mais. A solução, se não cabe a imortalidade, é que ninguém precise de documento nenhum, nunca mais.

Falando em burocracia, não sei se já mencionei isso antes e é curioso que não tenha, a Rosa vai conferir no caderninho e circular ou indeferir esta memória, mas é evidente e irrefutável: Antônio tinha a profissão mais proibitiva das profissões de um marido meu, funcionário do necrotério, mais precisamente técnico em necropsia, na primeira vez ele me disse apenas funcionário público, na verdade servidor público, eu na época dava aulas no ensino público então também podia me apresentar servidora pública e fiquei contente com a harmonia e estabilidade daquela promissora união que se aventava em flertes e holerites.

Demorei a saber, porque não é natural a pessoa no restaurante medindo a abertura ideal do entredentes para que caiba apenas uma pequena garfada elegante, o guardanapo no colo, o espumante barato e doce, sou técnico em necropsia, não, não, não, ele sabia que era preciso me preparar, numa tarde começou a explicar como tinha sido desvendado um assassinato passional da época, usou a palavra decúbito, gostei de um homem que usava a palavra decúbito, mas depois a explicação começou a agregar outras como rigidez, hipóstase, prolapso e eu interrompi, você quer me contar alguma coisa Antônio, e ele romântico com seu paletozinho de mangas mais curtas que o braço dado comigo na praça, o silêncio dominical, só nossos sapatinhos nos paralelepípedos, ficou lívido talvez quase como um cadáver, o rosto voltado para baixo, o olhinho molhado ardido de tanto ver a cara da morte, sou técnico em necropsia Aurora.

Eu não disse nada e passei a tarde pensando, depois me casei e pronto, talvez nós fôssemos dois opostos da mesma obsessão, eu não compreendendo como pode ser aceitável morrermos e ele fazendo o possível para escarafunchar e apreender cada meandro dessa morte insuportável, depois quando me disse que não queria filhos aí sim eu gritei e humilhei que era porque ele tinha as mãos e a alma inteira apodrecidas das mortes da cidade toda e já não era capaz de acolher nascimentos, a mente inteira voltada ao talho e retalho dos corpos acabados e incapaz de encampar começos.

E de tanto escândalo que eu fazia, a vizinhança ouvindo, Aurora-do-céu, brados de que ali jazia um homem que só gosta de desfazer corpos, jamais criá-los, um homem apegado a larvas da fauna cadavérica, como consta num dos seus absurdos livros técnicos, passei a apelidá-lo Coveiro, e ele tentando ser discreto, mais um dos motivos da minha culpada passividade naqueles tempos, a ditadura escamoteando seus corpos diretamente na mesa do meu marido que pelo menos não era o médico canalha ou apavorado ou ambos que ao final constaria Marcas de Suicídio onde havia um choque uma bala um afogamento, Antônio no começo uma sobra um restolho de pessoa que voltava do trabalho cheirando a formol e querendo festas com muita cerveja e cachaça esperando que nenhum outro ser humano fosse posto no mundo menos ainda um filho dele num país desses e eu achando tudo muito dolorido e poético porém minha única vida despejada naquele balde de depressões e niilismos como se eu fosse ter outra vida para minhas realizações e experiências e então enfim sob as bênçãos de uma década melhor e cheia de franjas cacheadíssimas, ainda o nosso fusca colorido – circular a palavra FUSCA –, engravidei.

Rosa vai procurar a lista de funcionários aposentados do Instituto Médico Legal até achar Antônio, esquecendo ela própria que ele me abandonou há pelo menos trinta ou trinta e cinco anos ou até quarenta anos e está provavelmente morto, não suportou a alegria e as dores de uma criança na mortalha dos nossos dias quietos e noites saudosas de festas que ele mesmo não entendia que já deixavam de acontecer porque os amigos também cheios de filhos e ele ali preso no fabrico impossível de uma juventude forjada enquanto ainda me amava e procurava em mim uma mulher que nunca existiu, destemida e livre das verdades da morte que ele dominava tão bem com seus instrumentos e macas geladas, foi embora.

Camila não tinha nem quatro anos quando ele sumiu, voltei da escola e abri o portão, falávamos eu e ela sobre ovos de Páscoa, ela dizendo exatamente cada detalhe do que queria dentro do ovo dela, que variava de leite condensado a uma boneca de cabelo azul, Perdoai e Ofendido, que eram os cachorros, este último ficou sendo apenas Dido, vieram nos festejar mas não com a intensidade de quando sabem que estamos enfim todos em casa, a matilha inteira reunida, família feliz, é só isso que querem os cães, então abri a porta da sala e já senti o cheiro de vazio dos armários que estavam abertos no quarto sem nada dentro, Camila perguntava ainda as suas perguntinhas, hein mãe pode ter leite condensado, e eu desconcertada, sim claro meu amor você vai receber todo o leite condensado do mundo até entender que sim o seu pai te amava, um tipo diferente de amor, que é aquele em que a pessoa não consegue suportar sua existência.

Não tem por que encontrar essa casa onde já não me resta nada, talvez apenas o jabuti que peguei pra ficar sendo velho junto comigo, se é que não morreu a essa altura, a Camila aos onze anos morreu após uma cambalhota ou pirueta entre as duas camas de solteiro do seu quarto, ela tinha duas camas porque às vezes vinham dormir amiguinhas para aplacar a nossa solidão, deve ter juntado as duas para amparar a acrobacia, encontrei-a de ponta cabeça o pescoço torcido sobre o chão e as pernas na pose estilosa do salto, eu tinha alarmado tantas vezes, Cuidado sempre com o pescoço!, aconteceu há pouco tempo de novo com uma garota em Jundiaí, quando se supera a questão da moleira começa imediatamente a do pescoço e a mania das crianças de se imporem desafios exóticos, como não pude crer que aquilo fosse a morte retirei depressa a minha filha daquela tumba em que se metera e então foi evidente a dobradura impossível do corpo e foi Antônio quase afônico no Instituto Médico Legal quem me explicou a etiqueta constando Morte Suspeita, falou que era o protocolo não tinha suspeita nenhuma como é que poderia haver, ele que não via a filha há quase uma década e apesar disso e do cheiro de produtos para dirimir os aromas da morte era um homem com um coração imenso e era capaz que eu ainda o amasse e como ele não poderia receber catalogar e abrir o corpo da filha ficou comigo do lado de fora com seu cheiro de produtos e suas mãos mórbidas amparando a minha insistente queda de joelhos no chão pontudo da calçada e tornou a sumir sem que eu me desse conta, não faz sentido voltar para aquela casa onde só há, se tanto, o jabuti.

É capaz que eu desvairada de tudo fiz alguma coisa muito ruim e esta é a última oportunidade para um recomeço. Não vou falar à Rosa sobre o trabalho do Antônio no Instituto Médico Legal que é capaz que ela acione a rede e recupere em alguns dias o meu nome numa certidão de casamento e o meu endereço esvaziado de sentido e lembranças e sobretudo pessoas.

**DOZE**

Pouco depois dos nossos casamentos Camila e eu tínhamos o costume cafona de irmos a reuniões sociais de nossos maridos, e levávamos uma à outra feito um mascote, para termos com quem conversar afinal éramos terrivelmente intolerantes e antissociais e não suportávamos a conversa pequena das mulheres dos outros, dependendo dos círculos, claro, mas quando se tratava de colegas de trabalho tudo ficava ainda mais superficial porque colega de trabalho tem essa peculiaridade do extremo convívio com nenhuma real afinidade, então fomos a um desses concílios com o marido dela que era um rapaz pouco espirituoso, repetitivo e carente, chegamos na casa das pessoas de que não decoramos previamente os nomes, a minha presença era sempre inexplicável no entanto eu sorria com naturalidade e mostrava as cervejas porque uma pessoa que mostra cervejas logo na entrada é sempre mais acolhida.

Não suportamos a conversa pequena dos outros, mas para a nossa temos todo o riso e dedicação, ela uma hora muito fina segurando sua taça de vinho alternando discreta com a cachacinha de bolsa, você não sabe, Aurora, o sabonete deles é de uma marca sofisticadíssima, você tem ideia de quanto custa, e eu não tinha ideia, era o equivalente hoje a uns duzentos reais, um pequeno recipiente de sabonete líquido que recendia às melhores e mais estupendas flores de todos os campos, ela continuava incrédula, será que esse é o sabonete padrão deles, todo dia ele está ali na pia para livre uso cotidiano, não é possível uma coisa dessas, só eu devo ter usado trinta ou quarenta reais, lavei até os cotovelos, sente aqui.

Fomos ao banheiro e cheiramos um pouco o sabão, sem gastar, direto no pote. Era uma pérola da perfumaria. Fiquei pensando que engraçado se fosse um encontro dos colegas de trabalho do Antônio, o cheiro a formol permanente nas peles, e aquele sabonete num rompante de aromas na ironia florida de verbena, lavanda e bergamotas.

Quando fomos as duas pela primeira vez a um desses encontrinhos do Antônio com o pessoal do Instituto Médico Legal esperávamos uma conversa naturalizada de cadáveres, os homens competindo o maior estado de putrefação que já encararam, um desfile de palavras, decúbitos larvas nitrogênio. Não. Falavam de futebol – mesmo a única colega mulher, mostrava-se ou estava mesmo interessadíssima nos últimos pênaltis, o que nós duas injustas julgamos afetação –, Argentina, cerveja, no máximo chegavam ao pum do médico legista, que achava que ninguém mais ali discernia a natureza dos odores. Esse era de fato o máximo que podiam ir nos tópicos de trabalho porque era a década de setenta e qualquer assunto chegaria ao último corpo seviciado e todo enrijecido de sofrimentos em que o médico também ele talvez sofrido fez constar um infarto apenas.

De volta à varanda, a Camila no terceiro cigarro da noite, um excesso que eu achava que ia matá-la antes dos setenta e não matou, já mais alta dos vinhos e cachacinhas, os olhos rasgadinhos da felicidade simples que ela tinha de estar comigo, a franja pretíssima balançando em cima das sobrancelhas grossonas que ondulavam mais expressivas conforme a bebida, ela continuava a investigação, ao mesmo tempo esse pessoal não parece o tipo de gente que guarda um sabonete específico para visitas, e deixa outro para o dia a dia... Também não há o menor risco de não saberem o preço daquilo, terem ganhado de presente e simplesmente deixado ali, não, tudo nesta casa é calculadíssimo, esse sabonete é muito intrigante.

A essa menina sim que era bom a Rosa encontrar pra mim, essa moça, a Camila de 1974 belíssima no inverno em cima das botas despropositadas com franjas nas canelas, uma impudicícia, eu achava graça sem de fato reprovar porque ela ficava mesmo atraente, olhava-se para ela segurando a cachaça e de imediato se podia transportá-la na mente para cima de um cavalo, as ancas suavemente arqueadas sobre a sela, os cachos da franja balançando no galope, e tudo bem.

Mas essa menina, ela a Rosa não pode achar, vai encontrar no máximo uma velha exaurida, ensimesmada nos caprichos de um lar com mais cheiro de guardado que os velhos daqui que na verdade nunca foram de fato guardados, pobrezinhos, o ar que entra por todas as frestas das janelas de esquadrias de alumínio, e com grades de ferro como se fôssemos tombar debruçados sobre parapeitos térreos, e tombaríamos.

Naquela noite do sabonete elegante, a Camila agora no quinto cigarro na varanda, nós duas num canto, absolutamente bem-sucedidas na tarefa de nos mantermos apenas entre nós, como as duas crianças que ainda éramos, feito nos recreios dentro da capela, agora é a hora de nossa morte amém, foi ali que eu disse, Camila, o Antônio, ele não quer ter filhos, ela me olhou muito grave, medindo depressa por trás do olho o próprio futuro, depois riu, babando um pouco a bebida, daí me disse que ia ser melhor assim.

É aí que me perco. Talvez, não sei, ela tenha me dito uma outra coisa, esticando a mão para que eu cheirasse mais uma vez o sabonete, agora contaminadíssimo de tabaco, o que tornava o cheiro mais especial, todo apropriado das fragrâncias dela, talvez tenha dito uma coisa mais ardilosa e espontânea, como ela costumava ser em todos os assuntos que não a própria mãe, a fumaça saindo antes da boca, dramaticidade, é só parar a pílula e pronto, Aurora.

**TREZE**

Minha filha tinha quatro anos e dizia que os nossos cachorros tinham cheiro de almofada. Eu ria e duvidava, mandava cheirar de novo as almofadas e depois fungar os cachorros, e ela concluía, científica, que claramente os cachorros tinham cheiro de almofada, sem permitir a noção de que talvez nossas almofadas que fossem permanentemente impregnadas deles. Ela gostava de dizer que o Perdoai e o Ofendido eram aconchegantes, adorava essa palavra, talvez porque cheirassem a almofadas e fossem macios, embora Perdoai mais parecesse uma maçaroca de lãs encardidas desenganchadas de um tear à força, de modo que algumas pontas desfiadas sobressaíam nas bordas, todas as bordas, porque difícil adivinhar qual era a cabeça e qual o rabo.

Meses depois de o Antônio nos abandonar, o Ofendido comeu algum veneno que jogaram no quintal, ou terá sido no passeio, e morreu no meio do próprio vômito, os olhos saltados de pavor e incredulidade, não tem tamanho a maldade humana, deve ter pensado isso antes de terminar de sofrer, achei o corpinho só na manhã seguinte já em rigidez cadavérica, diriam os livros que Antônio fez questão de largar na casa, e limpei depressa os traços todos daquela noite terrível que ele tinha enfrentado sozinho sem nenhum deus porque nem o alívio da fé os animais podem ter se quiserem, ao lado apenas do Perdoai que perdoa toda a maldade humana e é incapaz de um latido pra me acordar e avisar que o amigo está morrendo, talvez porque não saiba de morte.

Fiz uma cova no quintal, bem perto das rosas, e como ataúde me vali de um saco de sisal onde vinham as batatas da feira, pensei se acordava Camila para o funeral, mas não quis que ela visse o corpinho hirto e entendesse que era isso a morte, e já se pusesse a imaginar os destinos da carcaça sob a terra, desintegrações, formações putrefativas, então quando ela desceu do seu quarto festejada pelo outro animal que também ainda não entendia a morte mesmo tendo acompanhado a agonia e o enterro, ela estranhou as batatas espalhadas pelo chão da cozinha, perguntou sobre Dido, com a sua vozinha arranhada de sono, os cabelos para cima, o pezinho sempre descalço contra a minha vontade, e eu disse que o Ofendido morreu.

Camila sabia que morrer era a pior coisa que poderia acontecer e que era algo a ser evitado, e por isso ela devia andar na calçada sem soltar a minha mão, ficar longe de piscinas e do mar, não colocar objetos na boca, mas não sabia exatamente que coisa era essa, morrer. E quando ele volta? Não volta, meu amor, já não temos nosso amiguinho.

Em todos os dias que seguiram, Camila se dedicou a forjar naturalidade, as coisas tinham de continuar iguais, duas tigelas de comida no chão, duas caminhas, o Perdoai carentíssimo demandando muito mais atenção, quase se tornando um cachorro em dobro. Acordou então de bom humor e sentiu o sol no jardim, os dedinhos na grama, Bom dia, Perdoai! E de imediato se corrigiu, penitente, Bom dia, Perdoai e Dido!

Então talvez morrer fosse isso, não estar mais, deixar as coisas correndo sem estar presente em nada, e isso era imensamente pior que não existir. Para a minha filha, morto ficou sendo aquele que não consegue participar, uma coisa que dói o tempo todo, principalmente quando você dá bom-dia apenas aos vivos.

O cheiro de almofada ficou, porque Perdoai dava conta de mantê-lo. Dava conta de tudo com seu espalhafato incansável por toda a casa e nas ruas, uma companhia que pensava que alguém vivo era isso, uma coisa que precisa ser lembrada e tocada o tempo todo, senão pode se tornar como o Ofendido, terrivelmente ausente.

Tão amalgamados nós três que era capaz que os dois achassem que só existíamos nós no mundo, e alguns pedestres figurantes da nossa história. Eu tão afastada de qualquer amiga, tão mergulhada na minha condição maternal, dedicadas todas as horas à manutenção daquela criança como um ser totalmente vivo. Sentadinha comendo o cereal me perguntou olhando a estante quem é que fazia os livros, eu disse que eram as melhores pessoas, e quem escolhe essas pessoas?, ela queria que eu respondesse Deus, parece que as crianças nascem sedentas pelas maiores fantasias, eu disse que eram os dedos, que dedos? Das pessoas, de repente começam a escrever, tão rápido que não dá tempo de a pessoa nem pensar antes, a pessoa mesmo vai lendo e fica surpresa, e entrega depois para outros dedos que folheiam tudo, primorosos, e montam, pronto, assim é feito um livro.

Ela tinha a colher pousada na tigela e olhava os dedinhos, será que aqueles dedos iam aprender a escrever, mas mãe e se a pessoa não tiver as mãos mas for uma melhor pessoa? Daí os dedos estão por dentro, filha, vão escrever de outro jeito. Ela sorriu, feliz que eu era a fonte de qualquer resposta para qualquer pergunta, eu era totalmente absoluta, fundamental e suficiente, mas só enquanto ela não soubesse que a expectativa de todos, o melhor que nos poderia acontecer, era que ela me enterrasse um dia, e seguisse vivendo sua vida sem mim, e que portanto absoluta era apenas ela, minúscula afogando os cereais no iogurte, enquanto eu olhava aquela perfeição pensando sempre Camila-do-céu, há tantas formas de perder você, como é desafiadora a manutenção da vida.

E como são insuficientes os anos que nos dão como futuro, há um homem neste abrigo que tem cento e noventa e três anos, adora mostrar a certidão, algum erro nos confins dos cartórios dos idos de 1930 que trocou o nove pelo oito, e brinca que ainda viveria mais cem, fala isso rindo, a certidão de nascimento murcha esfacelando no ar, ainda viveria mais cem!, daí vai baixando o olhar até as pernas mortuosas que são quase mesmo uma ossada do século dezenove, e ele inteiro se recolhe sob a mortalha que é o cobertor que leva sempre nos ombros, cem anos mais e não bastariam.

Agora a minha Camila já não precisava tanto da vizinha triste cujo neto continuava precisando muitíssimo de aulas particulares cada vez mais elaboradas, minha filha agora mais velha tinha a bênção de ir comigo para o meu serviço, a escola particular bastante integral, eu tinha me tornado uma dessas pessoas que abandonaram totalmente o ensino público mas não consegue falar abertamente sobre isso porque o país é assim, este repositório de culpas.

De toda forma havia também os domingos. Eu poderia morar para sempre naqueles domingos com a minha filha aos quatro, cinco, seis anos, massinhas coloridas feitas de farinha e beterraba, ou mesmo às sextas na volta da escola assávamos pães de queijo em formatos alternativos, ela fazia minhocas, aranhas, ficava deslumbrada com tudo que eu mostrava, que delícia é sermos provisoriamente fonte de fascínio puro, que perfeito era o cheiro daquela criança e a ergonomia dos bracinhos apoiados nos meus ombros quando eu ainda arriscava um colo noturno para subir as escadas depois do leite, o som dos meus pés cuidadosos estalando a madeira dos degraus, ela pedia que eu ficasse até que ela dormisse e alguma coisa dentro do meu coração vibrava descompassado num galope de amor que não cabia no ritmo das válvulas e ventrículos.

Minha filha tinha passado os primeiros anos mal vigiada na casa da vizinha silenciosa e triste e então ela era uma sobrevivente, se alguma vez existiu um respirar aliviado em mim foi após essa sobrevivência, e um respirar aliviado é sempre um vacilo.

A roupa fazia barulho na máquina, ao mesmo tempo a panela de pressão assoprava o seu apito constante com cheiro de feijão e alho, pairava esse silêncio de cozinha, o Perdoai latia lá longe no portão para qualquer outro cachorro, a casa estava imersa nos ruídos de casa, Camila e a melhor amiga brincavam no quarto lá em cima, era domingo, ouvi um estrondo a que se seguiu uma quietude mórbida, escalei de dois em dois degraus, as duas estavam sentadas no chão aflitíssimas sob o meu olhar, Camila se adiantou e mostrou o cotovelo sem conseguir dizer nada, tremia, o olho esvaziado e afogando lento nas lagriminhas contidas, tinha batido o cotovelo no armário, o armário ligeiramente afundado na parte debaixo, gritei que parassem imediatamente com as brincadeiras de mão, testei o bracinho que ia e vinha sem ranger, o cotovelo em ordem, nenhuma imobilidade, deixei gelo, voltei às roupas, concluí o feijão, comemos.

A menina foi embora, era sempre um drama na hora da despedida, como se fosse a última vez, imploravam mais dez, quinze minutos, mas nessa noite a minha filha logo se deitou, nem deu trabalho, dormiu de imediato. De manhã atrasou para a escola.

À tarde vomitou, em seguida desmaiou. No hospital enquanto eu esperava notícias do médico liguei para amiguinha, o telefone preso à parede do corredor gelando a minha orelha, a voz vinha fraca e longínqua e também por isso eu respondia gritando, não, não quero falar com a sua mãe, quero falar com você, estou no hospital, você vai se arrepender pelo resto da vida se continuar mentindo, eu preciso da verdade agora, foi a cabeça não foi? Ela bateu a cabeça no armário.

Começou a gaguejar, mais preocupada em informar quem tinha decidido mentir, brincavam de guerra de travesseiros e a minha filha tombou de cima da cama até o chão, a cabeça no armário, foi a Camila que resolveu mentir, ficou com medo, fez um sinal com a boca pedindo silêncio enquanto eu vencia estrondosa a escada portando toda a minha insustentável arca de pavores.

Desliguei o telefone e informei ao médico, não deu tempo nem mesmo para a tomografia. Na certidão de óbito constou Concussão. Morte Violenta.

No Instituto Médico Legal Antônio me explicou que é normal, é violenta uma morte por pancada na cabeça, como se não fossem violentas todas as mortes, a polícia escutou a garotinha que não parava de chorar e que deve até hoje falar desta tarde em que jogava travesseiros e comia feijão e sua melhor amiga morreu por temor à própria mãe.

Voltei para casa sem a minha vida, o cachorro me festejou ainda desentendido dos assuntos da morte, Bom dia, Perdoai. Bom dia, Camila.

## QUATORZE

Quando éramos moças e o Antônio tinha o fusca, minha amiga Camila vinha dormir lá em casa comigo num ritual de juventude, como se fôssemos meninas sem horário para acabar a brincadeira, mas a diferença é que ela tinha sono cedo, então dormíamos de toda forma com muita responsabilidade antes da meia-noite, Antônio sozinho no quarto, nós no sofá-cama da sala junto com o Perdoai – que era o meu cachorro na época –, Camila mantinha outros hábitos que as pessoas diriam de idosa, além de dormir cedo, tinha implicado de aprender tricô, fazia e desfazia o mesmo cachecol, ficava ridículo uma mulher de trinta anos, tão bonita e cheia de calças e cabelos sentada embaixo de um tricô, vai ver queria mostrar pra mãe que era capaz de fazer uma malha para o inverno, já que para a mãe não bastava talvez o diploma de faculdade, era preciso construir do zero a malha ou pelo menos um cachecol com as próprias mãos, de repente se dava conta de haver errado um ponto muitas voltas atrás e ia desfazendo irritadíssima, de Penélope não tinha nem o marido sumido que aquele não sumia por nada, liberava no máximo essas escapadas para a minha casa com uma cachacinha e um tricô, isso nas noites em que ele ia ficar até muito tarde na empresa, o marido também tinha alguma coisa de idoso mesmo aos trinta, quando se sentava havia o gesto final de largar-se inteiro nas poltronas, seguido de um suspiro em que verbalizava: Upa Lálá. Infalível, sentava e Upa Lálá.

Mas havia nela o lado exacerbado, afetado de uma juventude inexplicável, que eram as calcinhas, mesmo enquanto tricotava Camila trajava sempre a calcinha mais desconfortável, inteira rendada e escavada feito um triângulo tolhido de concavidades, se tomasse mais de um banho na minha casa o varal ficava parecendo cenário de pornochanchada, Antônio brincava que se o corpo dela chegasse ao Instituto Médico Legal numa dessas calcinhas iam supor diversos motivos para o traje e nenhum deles seria a mera rotina de se impor sempre os mais graves desconfortos que não serão visualizados por ninguém salvo o Upa Lalá, ou, no varal, pelo meu marido técnico em necropsia que ao ver uma calcinha vazia imagina o tipo de defunto que a vestiria.

A Rosa me perguntou ontem por que eu ando tão convicta de que não tive filhos, mas essa é uma pergunta impossível, porque no momento em que estou convicta simplesmente não há o sopro da hipótese de que esta minha barriga tenha algum dia portado uma vida, então minha convicção reside em si mesma, não sinto a existência de um filho, nunca houve, então ela me mostrou quantas vezes circulou o fusca no caderno de memórias, a Rosa é a única pessoa do mundo que registra apontamentos num caderno de memórias que não são suas, são alheias, e com isso do fusca ela quer que eu feche os olhos e me lembre quantas pessoas algum dia entraram no fusca, o banco de trás, se houve algum dia um bebê no banco de trás, e é possível que sim, o filho da Camila, passeávamos tanto, hoje em dia ele praticamente não existe, é da natureza dos filhos deixarem suas mães para lá que elas têm essa vida tediosa de tricôs e calcinhas desconfortáveis e de toda forma cedo ou tarde vão morrer, como é natural, então tanto faz, vão viver suas vidas em países ou cidades ou bairros melhores, então se entrou algum bebê no fusca foi o dela, que ela esperou até quase os quarenta para parir, superada a trabalheira que foi preparar-se para a tarefa constante de evitar ser como a própria mãe.

A Rosa é uma criatura extraordinária, quer muito achar a minha casa, trouxe um leite pra eu tomar, puro, um leite gordo e morno, mandou que eu cheirasse, se o cheiro não lembrava o meu bebê, ri bem alto porque eu acho que a Rosa queria estudar psicologia, mas virou assistente social, e assim presta muita assistência, o cheiro é um sentido poderosíssimo, tão poderoso que lembrei diretamente dos leites da minha infância, minha mãe milhões de anos atrás deixando o leite na minha mãozinha e saindo de perto como se um bebê não se engasgasse, não morresse afogado na própria regurgitada azeda e no entanto os anos passaram e não morri, por um acaso dos números, que têm os seus caprichos, e nisso a Rosa se irrita de novo e vem com o assunto de que a tendência das crianças brancas neste país é que fiquem vivas, mas viver não me parece a tendência de ninguém, todas as células o tempo todo caminhando para a oxidação e a falha, que insuportável é a consciência do absurdo químico que é existirmos.

Hoje no abrigo é dia de feijoada, a turma toda fica contentíssima agitando suas bengalas e colesteróis, a mesa farta de laranjas abertas atraindo moscas, a farinha sem tempero e crua numa enorme tigela, o cheiro do feijão preto é bom, caprichado de alho, mas abrindo a tampa logo se vê que vem cheio de água para render melhor, o arroz é sempre bem mole, como gostam os idosos, e não cheira à cebola como é fundamental que cheire, o mosto de carnes diversas no panelão do meio não me atrai, a couve murcha que eles vão puxando com o próprio garfo num constante ciclo de contágio de suas gripes que nem precisam se dar ao trabalho de deixar este lugar para continuarem suas sórdidas mutações.

Fui ali na feira da rua ao lado pegar o pastel que eu ganho desde que me plantei do lado da barraca e contei a minha história, então basta chegar perto e a mulher muito gentil me estica um pastel pra viagem, antes que eu comece a contar de novo. Comi no quarto na mesa meio metálica que chamo de minha escrivaninha, bem no cantinho que pega o sol da tarde, o silêncio é o de um aquário com as vozes fantasmagóricas e ruídos de pratos ao fundo, o cheiro da fritura orna bem com o de ferro e água sanitária que tem este lugar, no meu quarto ainda não chega o fundinho de urina que preenche todo o resto, todos esses cheiros já começam a ser uma lembrança afetiva, quando Rosa me tirar daqui e me devolver à minha casinha triste e ao jabuti solitário que neste momento devora toda a minha horta sem se perguntar por um instante onde é que posso estar, quando eu lá chegar e passarem os anos sempre que abrir a água sanitária e cheirar uma chave, um cadeado, enquanto frito um pastel, vou lembrar imediatamente isto aqui.

Rosa perguntou por que não acho possível que eu tenha mesmo a minha amiga Camila depois da nossa adolescência, minha grande amiga, procurando obstinada por mim, mas tenha também a minha menina, já quase na próspera idade dos quarenta anos, e eu respondo que simplesmente as coisas não são assim, é da minha amiga Camila que lembro, não há filha nenhuma, eu garanto, e se amanhã eu vier a lembrar da filha, o que sinceramente duvido, e a amiga estiver ali parada na infância, é porque assim é, não se presenteiam duas Camilas a uma única pessoa. Rosa tem um peso sombrio numa das sobrancelhas, uma risada largada que de súbito ela recolhe e se contém inteira dentro de alguma dor, tenho certeza de que perdeu um filho, e perdeu-o ela sim para as probabilidades de um país de merda, mas ela diz que não estamos aqui para investigar as memórias dela, que ela sabe com clareza onde mora, ainda que não more muito bem e não goste tanto de voltar todos os dias para lá, que fui eu quem foi encontrada em devaneios solta na beira da estrada descalça chorando por uma Camila que não volta mais, você viu a minha Camila? Devo focar na minha vida, e quando ela diz isso usa um tom benevolente, de quem concede a alguém toda a sua atenção, a maravilha que é alguém nos pedir que falemos de nós mesmos, ela com o aventalzinho professoral que poderia ser para cuidar de crianças numa creche, mas é para falar com velhos, na verdade idosos, dos quais podem voar dentes e restos de comida, importante o avental.

Hoje depois do almoço vêm os voluntários com o bingo, valendo um pacote de pilhas novas e sabonetes artesanais, estão todos animadíssimos, mas nem sempre trazem lápis para todos os interessados e fica uma bagunça com os grãos de feijão saindo de um número e indo parar em outro e toda hora um idoso grita bingo mas é reprovado na conferência e vaiado pelos demais. Acabei o meu pastel e vou ficar atenta, quando chegarem quero jogar e não posso errar a marcação, não suportaria a vaia.

Camila trazia pastéis da feira quando vinha nos ver aos domingos, vinha de bicicleta, a franja na cara, eu morrendo de medo daquela bicicleta dela, lembrei que não era somente quando o Upa Lalá ficava na empresa que ela vinha para a minha casa, era também quando discutiam demais, e brigavam sempre a respeito da herança do pai dele, acho chiquérrimo falar isso, brigavam a respeito da herança, mas ela ficaria iradíssima se eu colocasse a questão desse jeito, a briga era na verdade pela forma como ele e os irmãos estavam lidando com tudo isso, a venda de uma casa envelhecida no extremo oposto da cidade, uma empresa caída e desatualizada que era mais do que justo ficasse com ele e Camila já que desde sempre era ele quem cuidava de tudo e permanecia até tarde lá resolvendo o que há para ser resolvido numa empresa familiar mambembe enquanto ela jantava comigo, mas os irmãos discordavam disso e queriam vender tudo, e o Upa Lalá não sabia impor seus direitos, ao contrário da Camila que sabia muito bem impor todos os direitos em todas as situações que não envolviam a mãe dela, então é isso, brigavam muito pela questão da herança e ela ia dormir na minha casa, fazíamos juntas o jantar, o que poderia caber numa das minhas imagens e quadros ideais de felicidade, as duas jovens bonitas, ela muito mais do que eu, o que por si só já trazia um encanto, desde cedo me agradou a posição profunda e contundente de amiga feia, mas a imagem não ficava ideal porque cozinhávamos descoordenadíssimas.

Ela gostava de fumar mesmo enquanto picava coisas, o que na época não era impróprio nem desagradável, pelo contrário, o normal era que tudo em todos os lugares cheirasse a nicotina parada, segurava o cigarro apenas com os lábios, a boca retorcida, e se apressava toda porque a fumaça ardida ia subindo até os olhos, então tinha de bater a cinza na pia feito um bárbaro, daí deixava apoiadinho na borda da pia no único local em que não molhasse, muito mais cuidado com isso do que se tivesse de depositar minha cabeça desmaiada num travesseiro, e, como queria voltar a usar depressa uma das mãos para a questão do cigarro, picava ainda mais vigorosa as coisas, cortes grosseiros, espicaçava legumes por toda a minha pia, no chão nacos de cascas que o Perdoai testava dentro da boca e cuspia, mais grudados ainda no chão com vestígios agora de pelos, ela na cozinha era tempestuosa e espontânea como em todo o resto – menos com a mãe –, um bicho solto, selvagem, não aceitava medições, eu abria um livro para mostrar que o ideal era o forno mais baixo, ela desdenhava, apegada a praticidades que inventava sem comprovações científicas, banho-maria então jamais havia entrado no seu livro mental de boas práticas culinárias, eu vencida abandonava minhas pressurosas dádivas e sentava ao lado admirando o estabanado bonito daqueles gestos todos desagregados, enquanto ela contava sobre a postura absurda do Upa Lalá no lance da herança, ou comentava pormenores da personalidade intragável de algum cliente que lhe pagaria muito pouco por um litígio de família, talvez também sobre uma pequena herança, de modo que ali estava Camila de toda forma administrando brigas sobre questões de heranças enquanto fatiava minhas batatas com tão pouco esmero que mais pareciam talhos de problemas psicanalíticos da infância dela que arremessava mal-ajambrados numa travessa e cobria com um molho branco meio talhado, tudo num forno quente demais queimando por fora antes de cozer por dentro.

Na janta eu comia tudo com muito gosto mas apontava um a um cada detalhe que teria ficado melhor caso ela não fosse um bicho selvagem, e então ela dizia que não tinha nenhum motivo para os detalhes, afinal só ela, eu, e Antônio comeríamos aquilo, ao que eu replicava sobre o despropósito das suas calcinhas sensuais desconfortáveis que só o marido via e olhe lá e ela ria deixando voar um pouco das batatas por cima do bife, abria as pernas se estivesse de saia e espiava a calcinha, sim, bastante rendada, mas eu não sabia o quanto as rendas eram de fato confortáveis, Antônio sorria satisfeito com a felicidade que era e seria a nossa vida por décadas desde que ele soubesse recusar o tempo todo o papel de pai, para ele a vida era aquilo, as festas discretas junto às pessoas que não irritavam a ditadura e que portanto não perguntariam desafiadoras sobre destinos de corpos, de modo que nem eu nem ele pudéssemos vir a nos tornar corpos tão rápido, e a vida era também a visita da Camila com suas calcinhas sensuais e sua gastronomia desregrada e livre, como deveríamos todos ser, para sempre, e fomos.

## QUINZE

Ao que consta, a humanidade resolveu enviar para o universo uma ou duas naves com uma série de recordações do que somos, nós humanos, faz umas quatro ou cinco décadas, meio século, se isto voltasse para a Terra já seria nostálgico para nós mesmos, quem dirá aos seres que vivem fora do sistema solar e quando encontrarem vão sentir tanta ternura por este planeta que, por um capricho qualquer dos astros, há tanto tempo terá deixado de existir.

Pelo que li, entre os barulhos gravados num disco dourado há o som do beijo de uma mãe no seu filho. Gosto de saber que existe um som específico para esse beijo, que não é um beijo qualquer, e a equipe cautelosamente destacada para nos apresentar às galáxias julgou que fosse um som digníssimo, tão representativo do amor terráqueo. Trem, trator, coração batendo, cachorro doméstico, beijo – de mãe em filho, é assim que está escrito em todo lugar, até nas páginas da Nasa.

Pedi para a Rosa procurar no celular dela. Queria saber se o som do meu beijo na minha filha, o som que lembro, é como aquele que enviaram ao espaço quase na mesma época, quando nada disso me interessava, galáxias, e não me interessam, essas dimensões só se prestam a reforçar a humilhação que é nossa efemeridade.

O outono está lindíssimo, no fim da tarde parece que pintaram as paredes todas de rosa, ou laranja, as pessoas ficam com os olhos bonitos, aguados, os idosos se tornam tão profundos, porque no fim do dia conseguem olhar diretamente para o sol, encaram a luz e brilham. Começo a falar da minha filha, então a Rosa logo abre o caderno e aponta a questão do fusca, onde está a outra Camila? Ela quer que eu visualize o carro cheio e então constate a presença de todos na minha vida, e de tanto que me pressiona eu quase chego a ver, mas tudo tem o vapor de imaginação, isso que ela faz me dá falta de ar, não sei da outra Camila, foi minha amiga, muito amiga, crescemos juntas, seguimos nossos casamentos, frequentava muito minha casa, engravidamos, não sei, sumimos uma da outra, claramente houve alguma coisa gravíssima e ainda bem que não me lembro, não há imagem dela segurando a minha filha, não adianta a Rosa querer, brandindo o caderno com as Camilas circuladas centenas de vezes e Antônio e o fusca, fico ofegante, chorosa, e ainda assim ela não desiste, acha que isto é uma catarse, quando apenas me arremessa no lamaçal das minhas indistinguíveis solidões e perdas.

Rosa nota que estou chorando, baixa enfim o caderno, chora também, discretíssima, um choro de cinema, não limpa talvez pra não chamar a atenção e o percurso da lágrima acaba dentro do nariz, aí sim ela usa as mãos, talvez para evitar um espirro, quero saber do filho dela, mas Rosa não dá espaço, quero saber que comida ela faz em casa aos sábados e se tem amigas na vizinhança ou somente um marido enlutado e bruto, quero saber se quem matou foi a polícia, ou coisa de bairro, eu entendo desses mundos, Rosa, não parece, sou assustada e doméstica, mas uma professora é obrigada a saber das coisas, mesmo que seja uma professora de Português que há duas ou três décadas abandonou o ensino público, ela desconversa, vamos falar da minha filha então, a única Camila que importa agora.

Ela tinha uns amigos novos, meio ricos, umas casas nuns lugares bonitos perto de praias isoladas, deixou o cabelo crescer, moreníssima, e foi ficando irremediavelmente solta de mim, a faculdade de jornalismo é uma profissionalização em rebeldia, foi com os amigos bonitos aos lugares ricos, nem me contou, que era pra eu não ficar preocupada, outro jeito de dizer que era pra eu não a aborrecer com as minhas verdades sobre os perigos do mundo.

Rosa avisa que tenho médico amanhã, detesto que me falem as coisas em cima da hora, uma idosa a quem não compartilham a agenda, o médico é aquilo de sempre, esse não é o neurologista que também não se pode querer um neurologista assim toda hora, os exames normais, eu sei que eles não ironizam por mal, ele mesmo deve estar intrigadíssimo, já deixei claro que não é do meu feitio gostar de ser um caso inusitado de medicina, pelo contrário, vou perguntando por cima do prontuário, o que está escrito aqui, e nesta linha aqui, tenho todo o direito de saber, ele ri e me obedece como se obedece a uma professora de Português – com pena – e recita suas anotações, um aluninho decifrando a própria caligrafia, paciente submetida a ampla propedêutica complementar. Para de ler e pergunta se precisa de crase, mas nem espera minha resposta, Vitamina B normal, sífilis negativa, urina sem alterações, liquor normal, eletroencefalograma sem paroxismos epiléticos – este eu quis decorar porque achei as palavras todas bonitas, paroxismos –, e mais alguns detalhes de córtex, então ele toca músicas de cada década para a evocação da memória, uma graça o doutor, lembro de todas, é claro, mas ele fica sorrindo com as sobrancelhas erguidas esperando que das músicas brotem lembranças e eu olho o relógio na parede dele.

Para me estimular nas evocações o outro médico me disse que um rato é capaz de lembrar, até um ano depois, que em determinado compartimento de uma específica caixa, feriu-se. Custa-me crer no que estão fazendo com os nossos ratos.

Rosa agora com a canetinha batendo na lateral do caderno de minhas memórias, angustiada que hoje estou confusíssima, ela num mau humor, respira fundo, que exasperante sou eu, já não suporta o meu cabedal de mortes, e a verdade é a pior de todas elas, talvez por isso tudo hoje tão difícil de concatenar, não estou preparada para esta lembrança que me arrebatou na madrugada e me cuspiu da cama, a minha filha tão dourada resplandecente torneada de colágenos nas praias dos lugares bonitos e ricos com os amigos protojornalistas bonitos e ricos, eu achando que estivesse no plantão do estágio cobrindo as manchetes da madrugada, fulano de tal é visto em aeroporto com fulana de tal, essas praias que são paraísos insulados por miséria e precariedade, Jovem encontrada morta em trilha para a Praia do Coqueiralzinho Mirim, foram até a minha casa explicar e consolar, os amigos bonitos, por que ela tinha ido sozinha, não havia explicação, tentaram mostrar que era corriqueiro, uns faziam uma coisa, outros queriam outra praia, espairecer a cabeça, bati uma garrafa contra a mesa, ela estraçalhou relampejando a sala nos reflexos do lustre, os meninos acuados chorosos, espairecer a cabeça, se houvesse alguém com ela os bandidos não tinham força para todo esse estrago, jogar o corpo para dentro da mata, será que os assassinos riam enquanto ela morria, é de se odiar mesmo uma moça feliz num país de infelicidades, eu entendo o ódio, eu não entendo a trilha solitária, não é assim que criei a minha filha, os amigos ali diante de mim querendo absolvê-la, e a si mesmos, repetiam-se, não era bem uma trilha, era só um caminho, eu já não tinha garrafas à mão, senão lançava outra.

A cidade bonita era tão longe que nem era no Instituto Médico Legal do Antônio que fui aguardar a minha filha e seus laudos de lacerações, será que os amigos tocavam música na casa bonita dançando alcoolizados e a Camila muito cerebral e reflexiva precisou dar um tempo de todos, será que um deles além de protojornalista era seu protonamorado e houve uma briga, ela saiu sem nem dizer aonde ia, os outros falaram Dá um tempo pra ela esfriar a cabeça, porque os jovens têm isso da cabeça, que precisa esfriar ou espairecer, quando na verdade ela é feita para estar constantemente pensando, alerta, por isso filhos são uma responsabilidade tão longa, mesmo adultos é preciso listar continuamente os perigos.

Não avisei o pai, não era justo que a visse morta se por quinze anos não tinha visto viva, ele que descobrisse um dia, procurando seu nome nos cadastros de mortos a que deve ter acesso, arregalasse os olhos diante do nome da filha, repetisse a pesquisa, não é possível, de novo, pronto, meu Deus.

Rosa encontrou no celular os sons todos que os seres humanos enviaram às outras galáxias, o áudio é muito baixo, ela praticamente se deitou ao meu lado, ouvimos juntas o beijo-de-mãe-e-filho, é na verdade um bebê, chorando, um bebê quase irritante, a mãe pedindo que fique quieto, consola o filho com embalos monossilábicos, não ouço beijo nenhum, Rosa toca de novo e de novo, acho que escutamos um beijo, volta, não era, ficamos sem entender. Os alienígenas nunca saberão como é o som do beijo materno.

**DEZESSEIS**

Quando Camila e eu tínhamos catorze ou quinze anos, ela apareceu na minha casa, ah, a Rosa vai achar divertido este episódio, veio com uma mochila imensa, a cara inteira empapada de choro, um catarro já seco, o cabelo ensebado de lágrima dormida, o coração sibilando no decote absurdo, eu olhando o decote, ela ofegante chegou sussurrando, fugi de casa, eu ri, olhei de novo o decote, escolha inusitada para uma fuga de casa, prenúncio das calcinhas aos trinta, mas Camila só crianças de até doze anos podem fugir de casa.

Ela foi entrando com a mochila imensa, trânsfuga. Do tampo vazavam pedaços de roupas, fui ajudar e pesava muito, ela disse que eram livros, os da escola e os nossos, quanto tempo será que ela planejava viver na minha casa, fiquei animadíssima, eu tinha uma irmã, tinha uma irmã igual tinham todos os meus colegas, irmã significava alguém que me amava e que nunca ia embora, na hora de dormir apenas dizia o boa-noite, e continuava conversando, rindo, até o sono vencer. Fui subindo com a mochila até meu quarto, cruzamos com minha mãe fumando o seu charuto masculino, ela olhou de lado o nosso carregamento, vocês mataram alguém?

Mesmo espontânea e tempestuosa, Camila não era de rompimentos e transformações, não os abruptos, as situações se encerravam na vida dela feito uma coisa que se deixa estragar na geladeira pela insuportável culpa de jogá-la fora, era capaz de conviver com bolores por anos e anos. Então era isso, eu tinha uma irmã, era preciso que durasse.

Então o certo era não fazer perguntas, até porque claramente não tinha acontecido nada, não era preciso que acontecesse nada para que alguém achasse necessário escapar do jugo daquela mãe, ainda que fosse para ficar sob o jugo de mãe nenhuma – que era a minha. Ela queria contar, ela estava louca para soar como a revoltada que ela queria que eu pensasse que era, embora eu não pudesse de fato me enganar assim, olhei de novo o decote, minha irmã.

Dobrei todas as roupas dela misturadas com as minhas nas gavetas, quanto mais misturado mais irreversível era aquela mudança, isso enquanto ela chorava encostada na quina entre as paredes, encolhida no meu travesseiro, aflita que eu não perguntava o que era a briga com a mãe e quanto mais eu não perguntava mais ficava evidente pra ela que sua casa era impraticável, não era um lugar para se viver, não importavam os detalhes.

Tomou um banho do jeito que a minha mãe odiava, molhando o banheiro ao sair, gastando uma toalha da casa, porque embora a mochila fosse imensa ela não pensou na questão do lençol e da toalha, e a minha mãe detestava lavar, mesmo na máquina, gastava muito os tecidos. Deitou na cama no meu colo, amolecida do vapor do banho por cima das decepções todas, fiquei esticando com os dedos o cabelo molhado sobre as minhas coxas.

Camila, você pode ficar aqui o quanto quiser, minha mãe nem vai perceber. Você limpa a cozinha, ela já vai ficar satisfeita, eu te ajudo na lição de gramática, você me ajuda em todas as outras, de manhã temos aquele iogurte que você gosta, à noite no inverno é sopa, nas férias de verão temos uns lanches, você vai gostar, não precisa rezar, nunca mais. Talvez a Camila quisesse rezar, não sei, olhou pra trás condoída.

Quinze anos depois ela apareceu na casa em que eu vivia com o Antônio, a maleta muito mais elegante e módica, Fugi de casa, a cara empapada de choro, mas sorria da piada, as brigas com o Upa Lalá pelas questões da herança do pai dele, alguma besteira assim, mas ele tinha dito talvez um impropério mais inaceitável, eu fiquei animadíssima, eu tinha uma irmã, era preciso aproveitar os poucos dias que me rendessem esse novo rompante de ousadia, Antônio foi à cozinha pegar mais um copo.

Enfim, estava ali a Camila menina, molhada na minha coxa, olho parado no teto sofrendo o desmazelo que era ser eternamente tão filha, tínhamos a vida inteira pela frente, só precisávamos permanecer vivas, o que na época já me afligia, uma antiga colega de sala tinha morrido de sarampo, já estava bem claro o quanto seria difícil essa batalha, mas de toda forma estaríamos juntas.

Ajudamos minha mãe a finalizar os bolos das encomendas, Camila girava o prato do bolo enquanto nós despejávamos a cobertura bem devagar fazendo um desenho bonito que depois minha mãe ainda ia enfeitar com morangos macerados. Camila e eu tão meninas tínhamos um grande medo, maior e menos nomeável que todos os outros, que era o de sermos tudo de ruim ou sofrido que havia em nossas mães, mas naquele momento eu aceitaria, sim, tornar-me aquela mulher.

Na janta minha mãe estava como sempre um pouco alcoolizada, chateada com o domingo, como era de costume, a pensão do meu pai morto não valia um uísque, ela gostava de falar assim, mesmo que não bebesse uísque, ela trabalhava numa fábrica de papel higiênico, mais ou menos chefe de um mais ou menos subsetor, então as segundas-feiras eram um assombro, e para pagar os meus caprichos também vendia bolos, a cozinha cheirava a glacê, a vizinhança vinha buscar os bolos, eram os momentos em que ela mais sorria, tão gracioso o sorriso, eu podia entender como era invejável uma mãe daquela, que não espera nada de você a não ser limpeza, não cobra sequer que a filha permaneça viva, minha mãe alcoolizada de cachaça serviu um dedinho pra mim e outro pra Camila, deve ter sido incutido aí o hábito agradável da cachacinha de bolsa, tomamos que nem remédio, precisávamos daquilo, nem ornava com a sopa.

Mamãe respirou ardido da cachaça, ficou olhando pra Camila, fazia uma cara cotidiana e ao mesmo tempo moída de sabedoria e desilusões, você é tão bonita, Camila, nunca vai saber usar tudo isso, minha mãe disse, e então tocou o telefone e ela atendeu, Camila está aqui sim, só um minuto.

Ela andou devagar e dramática até o aparelho. Fui vendo o rostinho da minha nova irmã arredondar enquanto ouvia a voz da mãe ao telefone, a voz chegava a mim picadinha, arrulhos de uma pomba desagradável e insistente, os traços da Camila foram perdendo todos os sinais de mulher, ganhou de volta o lábio tremido de criança frustrada, titubeou umas respostas, eu tive vontade de dar um soco muito forte no meio da cara dela, subiu, pegou a mochila quase vazia, não encontrou direito os livros, as roupas todas já dobradas irremediavelmente imiscuídas às minhas, agradeceu à minha mãe, porque aparentemente apenas às mães devíamos qualquer consideração, não olhou na minha cara até a buzina do carro soar na calçada, acenou um tchau descontraído, como se fosse um tchau de qualquer noite, e no dia seguinte me ligou depois da aula pra contar qualquer aleatoriedade, um assunto que ela caçou para costurar nossas interrupções, aceitei o jogo, como aceitaria sempre, era preciso não pensar demais sobre as coisas que não se resolvem facilmente, problemas mais confortáveis do que suas soluções, minha mãe não soube que eu tive essa breve irmã, ela teria rido tanto de mim.

**DEZESSETE**

Rosa, Rosinha, você não imagina o que descobri esta manhã, senta aqui, traz a caneta, hoje estou cheia de dados, não ri, mulher! Mania de desconfiar de velha. O médico disse que estou em perfeito estado, eu ia mesmo lembrar tudo a qualquer momento, e olha que coisa traiçoeira é a morte, ou, eu diria mais, que traiçoeiro pode ser um filho.

A minha menina tinha acabado de fazer vinte e sete anos, todas as noites me ligava, tinha chegado bem, o percurso da redação até a casa dela envolvia ruas escuras por onde perambulavam uma porção de pessoas injustiçadíssimas a quem não se poderia culpar se rasgassem alguém por algumas notas e um salgado, faltavam apenas treze anos para que ela chegasse à idade maravilhosa dos quarenta, quando eu teria enfim uma filha sobrevivente, madura e satisfeita, dali em diante bastaria que mantivesse em dia os exames de rotina, minha maior companheira.

A Rosa hoje está particularmente empertigada, não sei, Rosa, que outra Camila? Ah, minha amiga de infância, sim, continuo não sabendo dela, brigamos. Não estou me lembrando disso hoje, você quer que eu esqueça o que de fato sei? Essa Camila tinha os seus rompantes, vivemos algum escândalo, eu provavelmente sentei a mão na cara dela como quis fazer durante toda a nossa juventude. As voluntárias de hoje estão fazendo as unhas das idosas e até mesmo dos idosos mais esmerados, então enquanto falo com a Rosa preciso manter o olho na cutícula porque há essa mania de tesourar cutículas.

Minha filha tinha poucos amigos, trabalhava demais, tinha o cérebro muito estimulado, era exigente com as companhias, resgatou um cachorro no caminho do trabalho na esperança de satisfação pessoal, chamou de Ofendido, para fazer par com o meu Perdoai, o vira-lata despenteadíssimo que eu tinha na época, criou uma rotina obstinada com todos os intuitos de fazer o animal feliz quando na verdade ele já estava pleno apenas de subir na cama dela e me visitar aos finais de semana, ficava num canto apavorado de enfrentar o território do Perdoai que era espaçoso e sem noções de hospitalidade.

Rosa apanha a garrafinha de água e dá um pequeno gole, ela tem mania com essa garrafinha, em vez de beber logo inteira e manter o corpo hidratado até a próxima água, ficam esses golinhos recorrentes interrompendo os diálogos, já não suporto o gesto, estica-se toda para trás até alcançar, bebe um segundo, devolve ao local pouco ergonômico, estica-se novamente minutos depois, um gole, assim por diante. O que faz uma assistente social se alocar nos abrigos de velho, talvez ela seja referência de abrigos diversos, mas passa tanto tempo por aqui, tem a idade ideal para ser a filha que eu deveria ter a esta altura, ah, Rosa, a sua paciência é tudo o que eu tenho.

Aproveito para contar à Rosa que me parece bastante claro que, se não fui famosa, tive alguma proximidade com o mundo das celebridades, e digo mais, fiz isso com a coisa da língua portuguesa, hein, juro que foi. Ela que não procurou direito. Outro dia acabei revelando que Antônio foi funcionário do Instituto Médico Legal, não sei até quando, mas certamente estava lá na década de setenta, em plena ditadura, ela foi procurar, achou que ia ser rápido, não deram a lista assim, ela com essa postura impávida de militante, a história da velha perdida não ia colar tão fácil, eu acho que eles precisam tomar as cautelas porque hoje em dia há pessoas atrás desses nomes, e há o perigo dos crimes de ódio, que na verdade seriam crimes de amor, movidos a ódio pelo ódio de antes, mas o Antônio era um idiota que não odiava nada, só odiava ter filhos, apenas recebia os corpos, botava uma etiqueta com o nome no dedão, ajudava a abrir, empastar de formol, fechar, melhorar os rostos para os sepultamentos, quem fazia o trabalho sujo não era ele, apesar que ali tudo era imundo, desintegrações e larvas da fauna cadavérica, existe uma lista dos médicos legistas apontados pelas fraudes e omissões, isso é fácil de achar, a Rosa perdeu-se nisso, ficou horrorizada, mas o Antônio estava muito longe de ser um médico legista, o que nesse caso sempre foi um consolo, enfim, dito tudo isso, superadas as burocracias todas e os prazos para as pesquisas e a má vontade geral da nação, Rosa terá uma lista com todos os funcionários da época dos Institutos Médicos Legais de todo o estado, porque eles não possuem a lista por cidade, era uma distribuição interna, ademais não havia sequer computadores, senhora Rosa, um pedido deste não é comum, ainda que haja a boa intenção, talvez seja necessário autorização judicial ou ao menos da superintendência de não sei quem, ou pelo menos precisa voltar o fulano das férias porque ele é quem guarda as fichas do Recursos Humanos de décadas atrás.

Minha filha Camila e seu trabalho de jornalista que era basicamente coletar e esmiuçar as informações sempre devastadoras do país, dormindo quase de manhã e acordando ainda de manhã mesmo porque ela não tinha tempo para o descanso, também não tinha tempo para a tristeza porque o Ofendido entornava pela casa seus tons de contentamento e ela acabava ficando cheia de sorrisos, ligava narrando as últimas do cachorro, mijou na sacola da velhinha na feira, e ria horrorizada da própria figura que ela era. Filha, volte a morar comigo, faço comida pra você.

Ela tinha essa mania de morar sozinha, e com isso éramos duas morando sozinhas, com nossos cachorros sozinhos, duas insones sem espaço para estarmos tristes, primeiro porque ninguém veria nossa tristeza, então seria um despropósito, depois porque tínhamos cachorros.

Uma coisa que eu estranhei muito foi que eu sempre achei que saberia na hora, sentiria um golpe por dentro, um sacolejo feito uma alma tivesse se acoplado à minha e revirado tudo. Mas não senti nada, foi no dia seguinte que os vizinhos estranharam tanto o latido insistente, alternado com uivos, os bombeiros me ligaram, ao lado dos diversos remédios vazios tinha o bilhete, Desculpa eu não consegui, bilhete sem vírgula, sem nem mesmo grandes intenções de ser encontrado e entregue, e que os bombeiros presumiram fosse pra mim, e eu fiquei sem ter certeza se era para alguém que eu não conhecia, para o cachorro que ela tinha prometido fazer feliz pelo resto da curta vida dele, que coincidiria talvez com os futuros quarenta anos dela, e, se era pra mim, fiquei sem saber ao certo o que ela não conseguiu, permanecer viva, eu suponho, mas em que sentido, não conseguiu lutar contra todos os caminhos da morte, ou não conseguiu suportar isso que chamam de vida e é na verdade a fuga incansável da morte.

Rosa chora um pouco hoje, no meio de toda essa manicure. Não tem coragem de me acusar de nada, vive comigo essa perda da minha Camila para o único perigo que não fui capaz de alertar. Essa coisa que eu jamais vou compreender que é abreviar de propósito aquilo que já quase não dura, e que me é tão custoso manter.

Junto com o bilhete e com o corpo da minha filha no Instituto Médico Legal – o Antônio escapando da minha vista, incrédulo, esquálido e todo talhado do cotidiano da morte –, os bombeiros me entregaram também o Ofendido, que passou a viver num canto da minha casa, circunscrito nos metros quadrados que o Perdoai lhe concedia.

Ofendido vivia agora assim inteiro consciente do que é a tristeza, todo silencioso e culpado, ele que só precisava fazer uma jovem feliz e não conseguiu. Não conseguimos.

**DEZOITO**

Era um rapaz elegante que falava de Língua Portuguesa na televisão, lembro agora. Um moço totalmente embebido em gentilezas e os telespectadores paravam para ouvi-lo explicar a nossa língua, usava umas camisas de manga curta um pouco folgadas, as mãos juntinhas diante de uma mesa limpa enquadrada na câmera, ele entrevistava ótimas pessoas famosas, numa época em que havia famosos ótimos, tinha um rosto que lembrava um boneco de pano a que se quisesse permanentemente abraçar, o amante ideal.

O Antônio com a coisa de não querer filhos e eu sordidamente calculando a possibilidade de sacá-lo da minha vida, uma peça obsoleta, mas ele com o talento de tornar a ideia de um filho mais obsoleta que ele, a ponto de eu sentir que a ideia de não ter um filho estava desde o princípio em mim, até que surgiu o apresentador gramatical, não sei precisar como, mas é certo que entrou na minha vida, alguma frase estonteantemente correta, eu me virei, ele sorriu o seu sorriso televisivo, o mesmo de quando comenta a gramática da letra de alguma música adorável, era um nome bíblico, a Rosa vai lembrar, famosíssimo, basta procurar por ele, vai saber indicar quem sou eu, mas com a discrição que lhe é indispensável.

Algo no nome desse homem me remete a comida e amor em família, então enquanto a Rosa não vem me lembrar o nome dele vamos chamá-lo de Natalício.

Natalício não foi, logicamente, um tipo de romance tórrido, ocupávamo-nos de outras proparoxítonas, por exemplo Tímido. De toda forma foi surpreendente a minha frouxidão moral e a facilidade com que menti para Antônio pela primeira vez, saiu-me num instante qualquer história plausível e insuspeita, e a partir da primeira tanto fazia quantas mais viessem, comecei a mentir com ódio daquele Antônio que me empacava os planos uterinos com as suas obstinações quase malthusianas, e quando se mente com ódio aí sim que saem fluidas as mentiras, sem nenhum compromisso com a estratégia, mentiras cínicas que driblam a vítima com extrema eficácia, os cálculos do mentiroso odiento vêm sem culpa ou titubeio, perfeitos.

Meu amor com Natalício avançava gentil, e na cama também tinha lá suas vantagens, a elegância das pessoas normativas, sem afetações, a malemolência encadeada dos sintáticos, até hoje se me aparece esse homem na frente não resisto. Então com o tempo Natalício notou que meus talentos didáticos também mereciam aproveitamento televisivo, a Rosa pode procurar direito e vai achar, apresentei diversos programas com ele, a minha amiga Camila ia me buscar de vez em quando na produtora, perturbada, mas extasiada com a história de ter uma amiga famosa e ainda por cima mentirosa, o marido enganado em casa orgulhoso da esposa que agora dá aulas na televisão, eu com meus exemplos coloridos na tela, a regência do verbo enganar, transitivo direto, Eu engano meu marido, mas há exceções, é sempre importante evitar ambiguidades, quando os programas abordavam exceções Natalício ficava animadíssimo.

Vou precisar da Rosa para reconstituir tudo isso porque depois Natalício e eu caímos em obscuridades dentro da minha mente, porque é certo que alguma coisa desandou já que eu continuei com Antônio, Camila não foi mais me encontrar na porta da produção do programa, posso ter errado alguma coisa ao vivo, alguém enviou uma pergunta justamente sobre alguma exceção, eu sou mais chegada às regras, as exceções me apavoram, é nisso que residia a nossa incompatibilidade, vai ver então respondi errado, Natalício em frêmitos de frustração registrados ao vivo nos detalhes das bochechas murchando de desilusão.

Ainda assim é algo de que me gabar, é sempre um luxo viver um caso de amor com um grande ídolo, o que é o contrário de passar a vida inteira ao lado de Antônio sem enganá-lo uma única vez, vivendo da forma como ele decidiu – ainda que possa até mesmo ter sido uma boa vida, o que já nem importa porque não me lembro dela e uma vida assim hedonista quando é esquecida parece um vapor inapreensível.

Esta semana a Rosa vem mais tarde, porque antes ela faz os atendimentos no abrigo infantil. Deve ser uma sensação interessante, começar e terminar seu dia pelas duas pontas da desgraça humana, o começo desviado e o final em abandono, quando sai daqui a Rosa vai para o ponto de ônibus na avenida e fica ali desmilinguida segurando sua bolsinha puída e os sequilhos que compra da faxineira daqui, por caridade, porque toda vez que morde ela se afoga depressa nos seus golinhos de água e larga a outra metadinha em cima da minha mesa, a instituição Sequilho é questionável por si só, não deve ser inabilidade da faxineira. Então a Rosa no ponto de ônibus pega e lamenta mais um sequilho porque deu fome, e pensa primeiro nas crianças que não conseguiu ajudar de manhã, e depois nos idosos esperando a morte num municipal, e também outros abrigos filantrópicos, e daí ela se lembra de mim e dá uma breve risada que vem um pouco cheia de raiva, mas uma raiva enternecida pelo convívio, a gente se apega às histórias dos outros na insistência, por mais irritantes que sejam, e ela tem raiva de mim porque estou largada aqui sem precisão e também sem solução, uma espécie peculiar de abandono, para ela fui eu quem abandonei a todos para me pendurar nas saias longas e floridas dela e tomar o leite desnatado ralo deste local cercada de idosos miseráveis que já venceram tantas vezes a morte ao longo dos anos que agora já não sabem o que fazer enquanto não morrem.

A Rosa vai se lembrar de mim no ponto de ônibus enquanto lamenta mas engole o sequilho e vai sorrir animada para procurar na internet a minha imagem ao lado de algum Natalício, ensinamos regras e exceções para um país atento, criativo, equivocado, falho, e ela vai rir mais ainda das paixões humanas, ela que sabe das paixões das crianças infelizes que ela visita de manhã e dos velhos andrajosos que ela entrevista à tarde, chama de entrevistas os nossos encontros e é isso que provavelmente são.

Antes da frustração brutal de Natalício com meu equívoco ao vivo em rede nacional, Camila chegou a jantar conosco, os olhos dela atrás da fumaça do prato ocultos em brumas de mentiras, o ilícito era todo meu, mas ela o apanhava para si numa espécie de fetiche do remorso, mentíamos juntas ao Antônio, o que elevava e destruía a vida dela. Num desses jantares falamos brevemente sobre a mãe dela, um comentário sem importância, comíamos fondue enquanto Antônio cumpria um turno no necrotério, houve uma época em que o brasileiro sofisticado se ocupou bastante com a coisa do fondue, Camila ficou perturbadíssima, a mãe não tinha qualquer relação com nosso pernicioso fondue a três e acabou conspurcada em pecaminosos nacos de pão duro perdidos no queijo que já esfriava e endurecia sobre nosso fogo minguante.

O marido da Camila nunca conheceu nem soube do Natalício, não porque fosse amigo do Antônio, não era, minha impressão inclusive era de que não o suportava, mas sempre há o perigo de um homem se projetar na dor do outro e então olhar Camila como uma mulher que tinha uma amiga como eu, então talvez ela estivesse certa em mantê-lo limpo de toda a minha breviíssima sujeira, breviíssima porque nem para amantes sei evitar nossa natureza efêmera. As minhas pessoas não duram, por isso invisto tanto na amiga Camila, uma pessoa de ponta a ponta na história, todinha imbricada em mim, a única permanência possível.

Semana que vem Rosa volta dizendo que não encontrou coisa alguma sobre mim com Natalício, e tudo bem, porque já não me lembrarei disso, provavelmente não será uma grande dor nem decepção amorosa, o lado bom da efemeridade das minhas lembranças é doerem só durante o seu curto voo, não têm o encravamento implacável das memórias firmes.

## DEZENOVE

O Natal na família da Rosa deve ser uma coisa assim gostosamente despojada, imagino que alguém tem um quintal onde juntam diversas mesas, um tio pode trazer as mesas de lata do bar que ele ajuda a tocar três quarteirões pra baixo, algumas pessoas trazem doces em travessas imensas, outras o salgado, à mesa criticam livremente cada prato, comparando com o ano passado e comendo ao som das crianças que não param muito quietas, alguém na vizinhança solta fogos, as luzinhas piscam numa velha árvore da calçada, a dona do quintal repara que esqueceu de tirar a roupa do varal e pondera se agora vale à pena correr com isso, as calcinhas e camisolas secando num canto, o cachorro abrigado embaixo com medo dos fogos e comendo alguma coisa que uma criança ou um velho jogou pra ele. À meia-noite Rosa pensa no filho que ao que tudo indica morreu, e como é uma morte que ela não esquece é terrível em todos os Natais e em todos os dias.

Quando eu era pequena não tinha muito Natal porque minha mãe ou não se importava ou cumpria turnos na mais ou menos gerência do subsetor na fábrica de papel higiênico e depois se matava de fazer bolos para as encomendas, fazia um questionável Papai Noel de pasta americana, coberto de neve de coco ralado, e então uma vez ela me enviou para o Natal na casa da Camila, mas eu não quis mais nos outros anos, porque a Camila ficava outra criança na frente da mãe, uma criança de mentira e sem a menor graça, saída de um filme dublado, as palavrinhas mal encaixavam na boca que eu conhecia, e ela queria controlar também as minhas palavrinhas para que não fossem as mesmas que costumavam sair da minha boca, a mesa arrumada com coisas douradas, eu achava chiquérrimo uma mesa dourada, ela com um vestido engomado, uns parentes que ninguém amava, ninguém beijava, discutiam política e futebol como se pudessem fazer as duas coisas melhor do que os profissionais estavam fazendo, eu com muito sono e era preciso esperar Jesus nascer para podermos dormir, não sem antes darmos todos as mãos numa ciranda estática, olhos fechados, a reza completa que também sai desencontrada da boca que eu conhecia, dubladíssima, eu buscando nos olhinhos dela um lampejo de rebeldia, mas ela inteira com os olhos para dentro de Jesus e eu não sabendo as palavras para acompanhar o ritual que ia muito além do Agora é a hora de nossa morte amém, que eu ainda teimava em errar. Fiquei querendo estar na minha casa escura com a minha mãe exausta dos bolos e papéis higiênicos, bêbada de champanhe barata assistindo a algum filme na televisão que, daí sim, era bom ser dublado.

No ano em que Antônio chorou e sumiu da nossa vida, minha filha Camila tinha três anos e não havia ninguém para o nosso Natal. A Camila amiga ocupadíssima com um Natal grandiloquente na família do Upa Lalá, ela ficou de fazer o tender, eu avisei que o tender era o mais polêmico, cada um com uma opinião sobre molhos e suculências, e ainda assim ela escolheu o tender, as searas em que ela se impõe desafios. Eu perguntei se não podíamos ir também, minha filha e eu, e ela riu, como se fosse piada, porque a Camila tem seus conceitos do que é família, e os parentes distantes do Upa Lalá certamente não eram a minha. E já que Natal é para família e família exige casamento ou nascimento, minha filha e eu não tínhamos propriamente um Natal.

Enfeitei Perdoai e Ofendido com gorrinhos de Papai Noel, recuperei lá de cima da estante a caçarola de ferro que era presente do meu casamento e ficou comigo como presente de divórcio, assim como a casa, a filha, a geladeira, um homem culpado pode apresentar diversas facetas do desapego, fiz uma moqueca que ela adorava, porque já que não tinha ninguém, nem mesmo Jesus, no nosso Natal não era preciso tradições e chester.

A moqueca eu botei ainda fervendo em cima da mesa, um gesto tão destacado de mim. Como a memória me vem esfumaçada fica difícil entender por que, entre a cozinha e a mesa da sala, eu me desfigurei tanto a ponto de deixar a caçarola de moqueca fervente sobre a mesa do Natal. A toalha também era do casamento, literalmente, porque usamos na mesa do bolo ostentando uns bordados ligeiramente dourados, eu seguia achando chiquérrimo o dourado.

Perdoai corria atrás do Ofendido, os gorros escorregando e pendendo para baixo feito barbas vermelhas, Camila ria. Essa risada, eu fecho os olhos para dormir e é sempre o primeiro som que me vem, ela sentada no chão, ainda elevada sobre a fralda polpuda e um pouco tardia, bate as mãos no vão entre as perninhas chamando os bichos, que correm por cima do vestido dela, a risada.

Uma das muitas crueldades da morte é soar evitável, condenar os sobreviventes a permanecer estagnados, refazendo mentalmente as últimas condutas numa espécie de máquina do tempo insistente e ineficaz que ao mesmo tempo em que tenta destecer o passado vai moendo na outra ponta qualquer tipo de futuro.

Outra das muitas crueldades da morte é aproveitar aquele único lapso que tivemos dentro dos nossos sistemas cotidianos, isso tudo para que ela, a morte, nunca seja a culpada, sempre há um humano a condenar, invariavelmente a mãe, o que de novo bota a razão em Antônio porque ao evitar um filho se evita eficazmente o que há de melhor e também certamente o que há de mais dolorido e perigoso no mundo.

Duas coisas para perguntar à Rosa quando ela chegar, esbaforida de calores e sacolas, com a garrafinha de água: como são os Natais dela, e se ela já viu neblina se movendo entre as copas das árvores. Quando a neblina desce, as árvores mais próximas de nós ficam limpas, e as de trás, ao longe, ficam parcialmente encobertas por uma neblina que se move, e isso faz parecer que é o passado, lá atrás, encoberto e difuso, repassando esfumaçado, enquanto as árvores do presente ficam aqui diante de nós implacavelmente estáticas, nítidas. Rosa vai se irritar com a minha metáfora e implorar que hoje tentemos focar bastante porque não temos avançado nada e minha vida inteira é uma neblina, e vou dizer que agora a metáfora é dela e rirei sozinha, ela vai beber um golinho de água.

Quando eu era muito jovem e apaixonada uma vez eu tive um pensamento atroz, senti que é pior seu namorado morrer do que seu filho, porque com o namorado fazemos sexo e então o corpo todo fica marcado dessa falta, e está aí a terceira crueldade da morte, é iludir os jovens com essa tolice, a impressão de que o contrário de estar morto é estar praticando sexo. O bom de ser velha é já não ser tão patética.

Tem algo místico em morrer no Natal, mesmo nas famílias que não têm Natal, nem Deus, nem Jesus, até mesmo nas que deixam por completo de ser uma família, fica uma aura angelical e uma dor renovada a cada final de ano, guilhotina que desce nas contagens regressivas e retumba nos fogos de artifício, são dolorosos e quentes os dezembros, irritantes nos seus votos de esperança quando não há sequer o que esperar.

A neblina subia por cima da caçarola, era evidente que separava o que seria presente do que já estava quase no passado, correndo nebuloso por trás, o móvel com os porta-retratos ocultos na fumaça da moqueca, o barulho das patinhas dos cachorros correndo em círculos, a gargalhada da Camila sentada no chão perto da mesa, não sei o que houve, é insondável o mundo das ideias infantis e por isso a nós cabe cercá-las das nossas impossibilidades.

Eu chegava na sala segurando os pratos, sobre eles os talheres e a colher gigante para apanhar o ensopado de peixe que eu chamei de moqueca mais porque estava na caçarola e essas coisas fazem efeito. A mãozinha súbita na toalha, não há como saber o que ela pensou e disso é que se compõem as crianças, de pensamentos inexplicáveis, puxou com força as bordas da toalha até tocarem o chão, talvez quisesse impedir a passagem dos cachorros na sua correria por baixo da mesa, um truque que os deixaria comicamente desnorteados, esta é outra crueldade da morte, principalmente quando se impõe sobre as crianças, aproveita a brecha dos seus intentos sempre encantadores, gosta de avançar justamente sobre quem menos desconfia dela.

A caçarola de ferro diretamente na cabecinha e em seguida o caldo fervente para garantir que se tivesse salvação por um lado, já não teria pelo outro, não era o turno do Antônio no Instituto Médico Legal, o que nos teria imposto alguma espécie de Natal em família, mas nem isso.

Faz quase quarenta anos e o som é o mesmo, a risada, as patas dos cachorros no piso, os pratos e talheres saltando das minhas mãos arrebentando no chão, o resto não importa narrar à Rosa que ela já deve saber o que é perceber que um filho está morto, esse instante vertiginoso em que alguma coisa de ferro tomba por dentro e parece que não é possível que estaremos vivas no próximo segundo, e no entanto chega o próximo segundo e infelizmente continuamos ali, segurando o filho morto, e o próximo dia, e o próximo Natal.

Que ideia absurda isso de prometermos à morte um filho que ela nos possa tomar a qualquer instante.

## VINTE

O marido da minha amiga Camila morreu há alguns anos, o filho veio para o enterro e logo voltou para o México ou Novo México, e resolvemos que enfim moraríamos juntas. Décadas depois da primeira tentativa, ela estava agora pronta para ser minha irmã.

É importante encontrá-la depressa, porque ela deve estar numa aflição sem limites, Rosa falou que passaria de novo na repartição, consultar a questão dos nomes dos funcionários do Instituto Médico Legal na década de setenta, houve novo entrave ligado ao almoxarifado, enfim.

Passamos dois dias, Camila e eu, encaixotando tudo, as roupas do Upa Lalá tinham destinos certos conforme as caridades dela, uns ternos que faziam sentido apenas na cabeça dele e que agora teriam novas vítimas. De vez em quando ela me contava uma historieta vivida em algum movelzinho da casa, uma visita, uma viagem em que tinham comprado tal e tal coisa, daí limpava uma lagriminha, e ia ficando claro que não era saudade do marido o que ela tinha, pelo menos não completamente, ela enterrava ali com ele a vida dela toda, dali por diante começava apenas uma espécie de bônus, algo que se insere no fim da fita da vida apenas para fãs ou especialistas, a história dela dependia da cumplicidade daquele homem, ou pelo menos do seu testemunho.

Enquanto ela dobrava e empacotava suas trivialidades, terminando de sepultar as últimas décadas, eu provava as roupas dela brincando de supor o que poderíamos fazer juntas vestidas assim ou assim, lançava aos ares lembranças aleatórias das nossas noitadas jovens, meninices, mas nada era capaz de suspender seu ritual mortuário. Quando o caminhão partiu levando as coisas para a minha casa, ela fechou a porta devagar, limpou mais uma lagriminha. Ajeitou o número torto sobre a porta e na verdade o que arrumou foi a sua lápide, ficou muito claro pra mim, o que eu recebia eram seus despojos.

Até o Ofendido, o cachorro dela, que também naquele dia veio morar comigo, era só metade de um cachorro, meio enterrado com o dono, para a Camila ele seria sempre um cachorro que já perdeu um humano e agora reinicia um arremedo de vida. Ainda assim, mesmo que alguma coisa dentro dela a impedisse de perceber, começamos ali a ser felicíssimas.

A primeira coisa que notamos é que duas cozinhas não se somam, não faz sentido o dobro de espátulas, peneiras, liquidificadores, batedeiras. Cada uma tinha suas manias com seus próprios itens, então o desapego era difícil, poderíamos nos tornar também duas acumuladoras, depois dos sessenta e cinco as cavernas do cérebro parecem mais solidificadas, fica mais doloroso aprender, mas juntas éramos garotas, pouco a pouco aperfeiçoamos nossos métodos decisórios, a panela de pressão que primeiro apitasse e fizesse o melhor caldo de carne com menos escapes e frustrações ficaria na família, foi ela quem disse isso e a palavra família me deixou num breve encantamento, talvez fosse possível então, era capaz que dentro das caves embrutecidas da cabeça septuagenária dela ainda pudéssemos moldar algum tipo de parentesco maior que todo o resto, maior que a minha falta de filhos e a nossa viuvez, maior que a distância até o filho dela no México ou Novo México.

Enquanto eu terminava de fazer o almoço ela lia um livro ou se distraía com o crochê ensaiado desde os trinta anos e nunca perfeitamente dominado, a mão alternando com o cigarro, um cachorro em cada coxa, as coxas que tinham envelhecido tão pouco e tão devagar, umas pintas, um leve retorcer na pele, lá do fogão eu podia vê-las repuxadas sob a saia longa cheia de fendas por onde escapavam todos os trechos sempre estupendos dela, as dobrinhas idosas quase imperceptíveis sobre os joelhos, concluí de novo que muito melhor do que ser a mulher bonita é ser a amiga dela, a quem ninguém lembrará de examinar como envelheceram as coxas ou os joelhos, e que pode acompanhar com doçura os caminhos da decrepitude e acolher as mudanças apoiando sobre a mesa uma cheirosa panela flamejante que desperta a amiga bonita das brumas do cigarro, livro, crochês, cachorros, ou das próprias coxas, para saltitar animada até a mesa, daí lembrar de ir pegar a pimenta que eu sempre esqueço, não sou uma mulher de pimentas.

Era isso, eu acho, a plenitude. Foi preciso esperar tantas décadas para que eu não precisasse mais me despedir da minha amiga toda vez após o jantar, fechar a porta da sala, recolher os pratos, copos, subir as escadas que rangem mais a cada ano, agora não nos despedíamos mais, não tínhamos cada uma a sua casa, conversávamos até a hora de acender os abajures para adormecer com as caras enfiadas dentro dos livros, ainda dava tempo de comentar um ou outro parágrafo enquanto o sono não se instalava.

O Antônio já tinha morrido faz tempo, frágil, até a Camila enviuvar e entender tudo que poderíamos ser, eu fui uma mulher intensamente sem família, de uma forma que nunca tinha imaginado, não sabia que era possível alguém tão sem lastro no mundo, nunca me entediei, não, que quem gosta da língua portuguesa não fica entediado mesmo que não tenha ninguém com quem exercitá-la, era um buraco muito além do tédio, se eu fazia um bolo ligava para a Camila, Puxa eu tenho aqui um bolo inteiro, mas ela em algum lugar com a família do Upa Lalá, passei a dividir as receitas em um terço, um quarto. A minha solidão era concreta: precisava jogar fora meio ovo para adequar um pudim ao tamanho da minha existência.

Agora finalmente juntas, quando fazia muito sol, se eu não estivesse com dor nas costas podíamos lavar o Ofendido e o Perdoai no quintal, eles corriam de nós enquanto chamávamos mirando com a mangueira, Camila atacava com o sabão e cantava ao mesmo tempo alguma canção de ninar que provavelmente lhe lembrava o filho criança, porque ela ficava toda maternal esfregando o cachorro que tentava escapar inabalado pela cantiga enquanto eu obstinadamente molhava o outro cão.

Existe uma coisa preciosa entre nós duas, que eu tinha muito medo de que fosse embora quando ficássemos adultas, mas na verdade nunca houve um marco em que percebemos Hoje somos adultas, e então ficamos velhas antes mesmo de sermos adultas e com isso a coisa preciosa se conservou, que é a plena e incansável deselegância. É primordial sermos assim deselegantes, nunca um silêncio delicado, cerimônias, é importante que ela entre no banho e esqueça a toalha no varal e grite Aurora traz a toalha, e eu não escuto, então ela bota a cara na janelinha quebradiça do banheiro de onde desponta uma boca riscada de ruguinhas preenchidas de espumas para gritar, a toalha no varal!, e mesmo com a toalha entregue ela sai meio molhada já falando de algum assunto que nunca pode esperar, e os dois cachorros lambendo a aguinha das canelas dela sempre bastante colaborativos na deselegância e nós duas não acertamos de cara o nome daquele que queremos repreender e por isso são sempre os dois nomes, Ofendido e Perdoai, que gritamos em sequências alternadas, enquanto ela traz da cozinha uma xícara de chá transbordando e um copinho de cachaça, equilibrando na prensa do dedinho um pires com sequilhos – este país e o sequilho, uma cultura equivocada –, sempre traz muito mais coisas do que deveriam ser carregadas ou mesmo consumidas juntas, e fala sobre o filme dubladíssimo que vimos ontem no Tela Quente e eu respondo o comentário também num volume impressionante porque é raro estarmos no mesmo cômodo. Eu esperei décadas até que essa deselegância se instalasse inteira e amorosamente na minha casa, na nossa casa, e ali estávamos, enfim.

**VINTE E UM**

Quem você vai ser? Camila me perguntava sempre antes de qualquer brincadeira para definir nossos personagens, mas teve essa vez em que eu estava distraída, tínhamos ainda dez anos, a pergunta retumbou diferente. Eu não sei, respondi. Não sabia quem eu viria a ser, essa é a maior dureza de quem não tem trinta ou quarenta anos, e aos dez é ainda mais poderosa a dúvida, eu não fazia a menor ideia de quem eu seria, duas mininhas insignificantes num canto do pátio do colégio minutos antes de terminar mais um recreio, a pressa em concluir algum tipo de brincadeira, éramos completamente nada e havia talvez o perigo de continuarmos assim.

Normalmente a Camila era a Miss Brasil, e ainda fazia questão de botar algum reparo, tirar uma pinta, diminuir um dente. Mas justo naquele dia ela quis ser a Norma Bengell e eu ri. Ela nunca seria a Norma Bengell, tinha sido a escolha mais fora da razoabilidade. Ela não entendeu o riso, eu expliquei, e ela continuou sem compreender, retorquiu que era tudo fantasia, tentou me persuadir que de brincadeira a gente podia ser qualquer um, mas Norma Bengell não era possível, não a Camila, e ela se irritou e disse que eu então não poderia ser nem Hebe Camargo com aquela minha cara feia, e não me abalei, subitamente tive uma amostra do que era ser madura como alguém que tem trinta ou quarenta anos e iluminadíssima falei que não tinha nada a ver com beleza, Camila era de fato bonitíssima, ia ser mais bonita que a Norma Bengell, mas ia ficar faltando tanta coisa, eu não tinha todas as palavras aos dez anos então eu não disse isso que era o que eu pensava, Camila você jamais será disruptiva.

O recreio terminou sem que tivéssemos sido ninguém e Camila não falou mais comigo o resto da aula, até o mata-borrão ela pediu de outra aluna, sendo que eu sabia que ela preferia o meu, e depois precisou do tinteiro e os do lado não tinham mais e ela ficou sem escrever, normalmente eu acharia engraçado esse esforço de mágoa, mas naquele dia eu tinha trinta ou quarenta anos dentro daquele corpinho troncho e só pensei que triste era ser assim criança e não saber comunicar, porque na verdade o tanto que Camila nunca seria Norma Bengell era um dos traços que eu mais apreciava nela.

Que fascinante essa dança harmônica por cima do traço exato das regras, nós teríamos quinze, depois vinte, ou sessenta e cinco anos e ela ainda seria esse balanço perfeito entre cálculo e aventura, docemente encaixada nas tradições sem angústia sobre outros caminhos, a Norma Bengell veria a própria ruína antes que Camila ousasse qualquer salto para além da demarcada felicidade e eu ficaria ali espiando, logo atrás dela, no meu embotamento, na minha complicação, meu amante Natalício e outros mais, meus projetos de eternidade, pensamentos de não ter um filho quando fomos feitas totalmente articuladas para isso.

Quem você vai ser? Neste outro dia eu estava animada, Madre Teresa de Calcutá. Dessa vez foi ela quem riu, eu jamais seria Madre Teresa, entendi aquele riso, não me ofendi, nada em mim era bom, desprovida de caridades e resguardos, Você disse que não acredita em Deus, ela desafiou. Mas justamente! Hoje eu era Madre Teresa então podia acreditar, e além de tudo eu seria de alguma forma eterna, era uma escolha acertadíssima.

A menina Camila bem de vez em quando ia jogar queimada no recreio com as outras e isso de início eu não compreendia, o corre-corre, a força na bola, o suor desagradável na testa secando devagar nas próximas aulas. Eu sentava no canto do pátio e assistia, não como quem acompanha jogadas, eu era incapaz de acompanhar o que constituía um ganho ou uma perda, se eu não tivesse dez anos estaria pensando que aquelas crianças eram todas incautas gastando a sua meia hora numa competição sem se lembrar que em questão de anos estariam mortas, ou talvez eu já pensasse isso, sem as palavras, assistia ao jogo como quem vê um balé alienígena, a Camila subitamente cheia de agilidades, desvios, ali ela ganhava o seu brilho mais intenso e se eu não tivesse apenas dez anos teria entendido que era por isso, ela exercia ali sua arte de aplicar as regras, ao mesmo tempo que articulava com louvor todo o resto, a violência do arremesso, o oblíquo dos gestos, ali ela podia derivar-se gloriosa, encurvar e envergar-se cheia de êxitos, no jogo ela ficava completa.

Ela tinha uma boneca com cabelos reais, gostávamos de lavar com xampu e ficar secando ao sol no quintal, Camila segurava o bebê cantando sempre a mesma canção de ninar e a boneca era tão verdadeira que me dava um pavor, eu ficava também um pouco tímida na presença grandiosa daquela criança que ela acalentava com destreza, ela é de verdade, Aurora, eu aflita diante do peso daquela hipótese, se fosse de verdade não estaria aqui com a gente, Camila. Mas terminava de ajeitar o cabelo que era tão de verdade e emendava alguma repreenda ao bebê, eu não continha a minha angústia, você não tem medo de derrubar no chão, Camila?

Ela não tinha medo de derrubar a filha tão frágil no chão porque simplesmente essas coisas não acontecem, Aurora, é simples, é só segurar uma filha, mas ela não entendia a dimensão que uma falha pode ter, as pessoas falham, as mães sobretudo, você não tem medo de ser infeliz? Camilinha me olhava consternada, a felicidade dela era tão automática, se ela soubesse crescer nesse mesmo tino, como era fácil a felicidade dela segurando a boneca que para mim já era o cadáver de um filho.

**VINTE E DOIS**

Hoje o dia está agitado, marcaram de pintar o mural dos fundos, atrás das cadeiras empilhadas – são diversas cadeiras de saguão de espera que foram perdendo pernas, braços, propósitos, no fim somos todos um tanto acumuladores –, acharam então que era melhor o muro se tornar um pequeno jardim de spray verde, uma funcionária caprichou nos girassóis à direita, um idoso que era pintor fez todo o resto, inclusive galhos que se estendem até causarem a impressão de que a serpentina de segurança, toda encravada de espinhos, é também ela um longo desdobramento espiralado do galho pintado, ficaram todos felizes, chegou um cantor da igreja com o seu violão e a caixa de som com o microfone, já nem ouço as letras, acabo batendo palma junto, muito grata pelo mural e pela festividade, o que diria minha amiga Camila se isto aqui fosse a escola e tivéssemos dez anos, fingiria para mim que não acredita em Deus e então eu não poderia bater palmas, mas tudo bem porque quando se tem dez anos há muito mais pela frente que o violão da igreja e o jardim de tinta spray.

Justo hoje que os idosos tinham todos combinado de ser felizes com o cancioneiro de Jesus e o jardim no muro, foi retornar o senhor Jesus que é dependente químico e tinha sumido há dias, e somente neste lugar é que se pode dar conta de que há no mundo homens muito velhos chamados Jesus e que precisam desesperadamente de drogas, então não é que os velhos tenham todos se livrado das drogas, pode ser que as drogas é que se livraram de todos antes que ficassem velhos, a não ser o Seu Jesus, um sobrevivente, que retornou hoje em estado lastimável, voltou na verdade sem voltar, todo ausente de si, o homem do violão teve de parar porque Cristo já não podia com os brados do nosso Jesus todo moído de fome e Brasil.

A Rosa fala que vai conseguir trazer os parentes dele um dia para visita e depois esses parentes vão levá-lo daqui, mas quem visitaria um Jesus desse, a Rosa é esperançadíssima, não sei como não se exaure de tanta esperança vazia, o fardo que são esses balões sobre os nossos ombros, antes de vir parar aqui é bem capaz que Jesus revirou abaixo a casa, colocou todo mundo em perigo, Rosa, se houvesse um jeito de as pessoas de fato se salvarem não tinham inventado os milagres.

Então aconteceu que o Jesus voltou, estado alterado, é o que vai constar na ficha dele, e voltou no dia errado, que domingo não tem ninguém de reforço pra ajudar, estão segurando os braços dele por trás das costas, daqui da minha cama os gritos chegam com uma reverberação estranha, metálica, por causa das portas e janelas com grades, ouço que ele quer botar fogo em tudo, sempre queremos, sempre há alguém que quer botar fogo em tudo, deve soar como uma boa solução para o caos, renascimentos.

O jardim de tinta spray ficou muito alegre. Tentaram fazer no canto um cachorro, mas saiu deformado, transformaram em pantera, depois acabaram optando por arredondar numa pedra, de toda forma ficou muito alegre. Fazem tanta falta os meus cachorros, o Perdoai e o Ofendido, espero mesmo que os vizinhos tenham acudido, não lembro de nenhum vizinho, mas em todo lugar há vizinhos, uma pessoa que não tem vizinhos não tem nada, ilhada em si mesma, se esquece o próprio endereço e é levada da beira da estrada pela assistência social não há quem salve os cachorros no quintal da pessoa sem vizinhos.

Eu tinha uma vizinha que já era um tanto velha quando eu tinha os meus ideais quarenta anos, dei aulas particulares para o neto dela que dava poucos frutos. A vizinha quase não me dizia nada, tinha uma falta crônica de energia que fazia parecer que o ar não chegava do pulmão às cordas vocais, mas ao mesmo tempo quando queria ser solícita sorria e abraçava excessivamente, era uma pessoa que deixava a cordialidade de cada um confusa e desorientada. Essa vizinha talvez pela idade já esteja morta, certamente morta, não vai acolher cachorros de quintais alheios, quando o neto dela me disse que queria ser médico no futuro eu passei uns segundos buscando uma boa expressão facial e depois disse que devemos perseguir os nossos sonhos, preciso ir atrás desse rapaz só para ver se ele se iluminou quando o futuro chegou, duvido.

O Perdoai é especialmente bagunçado, os pelos vão tomando conta da carinha toda e quando tem uma brisa no quintal ele gosta de encarar o vento, completamente imóvel, os olhos duros contra o ar, só as orelhas tremelicando, talvez brinque de estar na janela de um carro em viagem para algum lugar melhor, embora na verdade esteja felicíssimo ali, o sucesso que ele e Ofendido fariam neste abrigo se entrassem por acaso pelo portão à minha procura, farejando os meus rastros!

Na verdade a Rosa deveria fazer um retrato falado dos meus cachorros e aí sim postar na internet, as pessoas compartilham muito mais cachorros do que velhas perdidas, o que é compreensível, eu mesma nunca compartilharia uma velha perdida.

Minha amiga Camila gostava de dizer que pegar um cachorrinho no colo era o único consolo para um dia difícil, mas eu realmente não entendo que dias dela eram difíceis, se ela tinha tudo que precisava, porque ela não precisava de muito, um filho, um marido, não tinha o cachorro, mas daí podia vir pegar os meus no colo, satisfeitíssima e ainda assim um número impressionante de dias difíceis, talvez o melhor seja ser insatisfeita como eu, e então os dias não são difíceis, são apenas incompletos.

Abraçar um cachorro, senti-lo no colo. O quentinho da barriga acalenta o coração, e é possível sentir o borbulho do estômago dele, abaixando-se o rosto até a cabecinha se sente o cheiro de almofada. Não permitem cachorros neste abrigo, o que é um erro.

Um que era completo e talvez também satisfeito era o Upa Lalá, os maridos às vezes têm uma singeleza de espírito. E no meio da sua satisfação simples, parece que cismou de implicar com o Antônio, foi na questão do futebol de bairro, entrou no mesmo time de várzea e os dois deram de se desentender logo de cara quanto às posições em campo, disputas, a Camila trouxe a notícia rindo mas era aquele riso dela que ia ficando duro e encrespado de irritações, começando por menosprezar os caprichos do Upa Lalá e terminando por dizer que o Antônio bem que poderia deixar essas coisas de lado, que o Upa é hipertenso, então novamente uma risada mais forte diante do absurdo de estarmos as duas perdendo cinco minutos a respeito do futebol dos maridos, sem calcular a que ponto podem chegar e por quantos anos os combates de maridos, quem sabe um pênalti perdido, uma noite solitária, as calcinhas rendadas da esposa ventando no nosso varal, as iras que os homens acumulam e chutam em redes para gritar gol.

Quando Antônio me informou que não queria ter filhos eu ri. Depois, quando levei a sério, chorei, mas muito menos do que eu imaginava. Chorei e argumentei muito menos do que eu mesma esperava, e a cada dia em que continuávamos juntos ficava mais claro, era eu quem não queria um filho. Mas ninguém saberia de uma coisa dessas, nem mesmo o Antônio, que ficou sendo uma sombra por cima do meu útero, chegávamos em casa tarde, descíamos do fusca colorido rindo de qualquer besteira da noite, porque a vida é assim leve para quem não tem filhos, entrávamos na nossa casa silenciosa e vazia, no instante em que acendíamos a luz eu via minha cozinha e todos os meus objetos e pensava como é gostosa e ridícula a vida, a minha vida, a vida dos que não se desdobram em novos seres que se desdobrarão em outros.

Quando eu era uma mulher de trinta e cinco ou quarenta anos prestes a definitivamente não ter tido filhos o que eu mais imaginava em segredo é a velha que eu seria, e então eu dizia que tudo bem, eu pelo menos estaria grata pela vida que tive, sem tragédias, não ter um filho é praticamente certificar-se da ausência de tragédias. Cheguei, a velha que eu seria, e não há graça nenhuma na vida que eu tive, o despropósito de uma velha que não teve filhos é o da ponta de um cadarço que arrasta no chão, melhor cortar fora uns centímetros, que não faz diferença nenhuma.

Essa é uma das crueldades do mundo, você não se torna uma mulher sem filhos, você é para sempre algum tipo de mãe, porém de filho nenhum, a mãe que não deixou um filho existir.

Jesus continua gritando lá no pátio e ele teve inúmeros filhos, está bem longe da ponta do cadarço. Não vou dizer isso pra Rosa, mas às vezes eu sinto que é capaz que ela não encontre minha amiga Camila, não encontre a minha casa e os meus cachorros, e eu termine de envelhecer neste lugar, porque é apenas isso que me resta, terminar de envelhecer.

## VINTE E TRÊS

Os filhos também servem para isso, escolher o único caminho que não alertamos. Não sei dizer onde é o túmulo da minha filha, o que pode restar de uma mãe que não lembra onde deixou o caixão da filha.

Uma dor pontuda que não encontro dentro do meu próprio corpo, um membro fantasma fisgando no meio da noite sendo que eu tenho todos os membros, estou mal-assombrada.

Também não sei onde está a tumba da minha mãe, mas mães servem mesmo para serem superadas um dia, já tiveram a graça maior da vida que é o filho e a bênção de serem enterradas por ele, a boa sorte de ser enterrada por um filho, que grande porcaria a vida se isso é o melhor que podemos esperar do destino, sermos enterradas por um filho e não o contrário.

Talvez tenhamos um mausoléu da família, família sendo minha mãe falecida há milhares de anos lá sozinha até chegar o esquife da minha filha no exato local em que deveria ter entrado o meu, e quem sabe mandei cavar mais um pouco para ainda ter espaço pra mim, então tenho duas casas que não sei onde estão, numa delas minha mãe e minha filha estariam me esperando se eu com dez anos não tivesse parado de acreditar em Deus e quando não se acredita em Deus sobra apenas a morte para crer.

Sei que tem um tampo pintado de rosinha onde me deitei numa tarde ensolarada, jovem ainda e já arruinada, chamei pela minha mãe, foi a primeira vez que precisei dela desde sua morte, mãe por favor me ajuda, não sei sobreviver a isso, ninguém me ensinou.

Tinha mais alguém comigo, parece, alguém deitado ao meu lado sobre o tampo rosa do mausoléu da minha família, minha família inteira para dentro da tumba, menos eu, alguém do meu lado e não era o Antônio que nunca mais deitou ao meu lado em lugar algum, mas pode ter sido um fantasma, eu assombrada.

Neste dia eu tinha um vinho em homenagem à minha filha que não podia mais beber, lembro que verti errado a taça e derrubei na roupa que tudo bem era preta de luto e a pessoa que estava comigo se abalou com o gesto, deve ter me achado desnorteada e eu dei risada, minha primeira risada, justo em cima do tampo da minha filha, a pessoa era uma amiga, não, talvez fossem o Perdoai e o Ofendido deitados ao sol na sua maneira de cachorro entender e não entender a morte, como nós.

Venha ver o pôr do sol, eu disse, e a pessoa que estava ao meu lado e que agora sei que certamente não era um cachorro deixou cair uma lágrima, porque esse era um conto que amávamos em comum com a minha filha Camila, e ela agora irremediavelmente enterrada, o conto perdia todo o sentido.

Em cima do ataúde da minha filha naquela tarde de sol tinha, sim, alguém comigo, porque a lembrança não é da solidão mais profunda que alguém pode ter, é outro tipo, é uma solidão apavorada, porque era evidente que aquela pessoa jamais poderia estar comigo tanto tempo quanto eu precisaria, ninguém poderia, ia chegar o momento em que ela sairia do meu lado para tocar por um segundo a própria vida, e eu não saberia onde enfiar a minha.

A menina Camila tinha começado a morrer antes, eu não tinha entendido, os amigos não souberam me dizer se o problema foi justamente falta de experiência, ou se mesmo com só vinte e sete anos ela já tinha chegado no fundo do fundo dessas coisas que quem olha de fora só consegue chamar de Essas coisas.

Ela tinha largado a terceira tentativa de faculdade e pra sair de uma vez debaixo dos meus olhos arrumou um subemprego qualquer numa videolocadora de dia e numa boate de noite, começou também a cantar nessa boate, uma espécie peculiar de casa noturna, os amigos dela não sabiam me explicar quase nada.

Cantava bonito, a minha filha, mas quase não cantava em casa, tinha vergonha de mim, dizia que eu era muito absoluta. Eu ri e disse que esse era um uso inadequado das palavras, porque não cabe modulação em Absoluta, que já tem um significado total, não se diz muito ou pouco absoluta, e ela continuou me olhando, riu para si, algum desprezo no discreto balanço de incredulidade no rosto, e reafirmou devagar, tão absoluta, mãe.

Fugiu da mãe absoluta para outros absolutismos absoluts absintos, eu poderia prever acidentes de carro, assaltos, mas eu era tão absoluta que não imaginava a hipótese de a minha filha morrer por decisões ruins. A pessoa que estava comigo no cemitério naquela tarde em algum momento pegou minha mão e apertou e aquele aperto agravou minha solidão, porque eu senti o tempo todo que aquela mão cedo ou tarde ia me soltar, não consegui apreciar os poucos segundos daquela mão na minha mão, pensando que insuportável seria a minha própria mão em todos os outros instantes em que não houvesse aquele aperto.

Os amigos da minha filha primeiro não falaram nada, depois falaram todos ao mesmo tempo, duas meninas dispararam a chorar, contradiziam uns aos outros, foi uma grande mistura, mas ninguém sabe explicar como ela não foi vista no estado em que estava, como ninguém fez nada, como é que pode ser normal deixar alguém dormir empilhado sobre um sofá escondido embaixo de uma mesa, tinha um dos amigos, o menorzinho, com cara de alguém que poderia ter sido meu próprio amigo, foi ele que sentou do lado dela no fim da madrugada, foi dizer uma coisa engraçada e fazer um carinho na testa – ele inclusive relatou qual era a coisa engraçada que ele disse pra ela quando ela já estava morta, e de todo jeito não tinha graça nenhuma – e então quando tocou no cabelo e no rosto dela sentiu um arrepio impossível, esses jovens pensavam que sabiam tanto e não sabiam nada de morte, acham que têm a vida toda, é sempre a hora da nossa morte.

Foi uma mistura de coisas, cocaína e ecstasy, e muito álcool, o legista depois me explicou, não era o plantão do Antônio no Instituto Médico Legal e não avisei da morte da nossa filha, drogas depressoras agem de um jeito e drogas estimulantes de outro, foi me explicando como um pedreiro explicaria os problemas de uma obra feita na minha casa e em seguida ofertaria soluções, mas as soluções não vinham, ele aventou a possibilidade de ter sido excesso de água, causou um desbalanço na bomba de sódio e potássio, e eu pensando na minha menina diligente totalmente drogada porém sem deixar de se hidratar, cinco, seis, sete litros.

Como é possível que isso tenha acontecido, a morte, a explicação dos amigos, a explicação do legista, por que é que vocês estão tentando me explicar a morte da minha filha, meu Deus, por mais que eu tenha me adiantado a todas as possíveis mortes dela, alertando cada perigo, a minha menininha querendo andar de bicicleta, patinete, a carinha amuada diante das minhas proteções, por mais que eu tenha encarado a possibilidade dessa tragédia, eu não poderia ter alcançado o tamanho disso.

Naquela tarde de sol em cima do tampo rosa da tumba da minha filha a pessoa que estava comigo e que nunca poderia estar suficientemente comigo me ouviu refazer cada hipótese daquela noite, como seria possível num local com tantas pessoas uma delas ser deixada para morrer, se eu pudesse saber quem foi que ofereceu uma dose a mais, o excesso fatal, eu acho que eu matava, não diria nada, chegaria matando e tchau.

A Rosa falou que quando me acharam eu estava transtornada na beira da estrada, manca e suada, segurando uma coleira vazia. Eu perguntava muito cadê Camila, Devolvam a Camila, e por uns momentos acharam que procurava um cachorro, mas eu segurava a coleira sem percebê-la, feito um resto de qualquer coisa a que a gente se apega quando falta tudo, e eu já não me lembro também desse dia, na beira da estrada, quando deveria ter alguém ao lado, um aperto na minha mão, e não tinha.

**VINTE E QUATRO**

Rosa inventou uma atividade que talvez me mantenha entretida pela próxima década. Chegou suada, cheia de papeis de outros casos, fico enciumadíssima com os papéis de outros casos, daí ela fala que sou a preferida. Como eu andei dizendo que a tumba da minha filha tem uma tampa rosa ela me sentou aqui diante do computador da secretaria e passeou comigo na tela por dois cemitérios da cidade, e anotou os nomes de outros nas cidades próximas da estrada onde me acharam, devo olhar todos até sentir alguma coisa.

Eu sinto alguma coisa em cada mausoléu, cada cruzinha montada em cima dos mortos. Os cemitérios chiques têm árvores majestosas, dá vontade de andar nessas sombras, o sapato estalando nos gravetos. A pessoa vai clicando com a seta adiante nas ruelas, avança pelos becos, dá para focar nos nomes das famílias, estátuas, monumentos, de repente dobrei uma esquina e dei com dois vira-latas fora de foco, quis me aproximar e eles sumiram, tentei voltar e nunca mais achei o instante fotográfico em que estavam ali contentes ao sol acompanhando a câmera do Google que invadiu minuciosamente o luto dos humanos, o Google e os cachorros não entendendo de morte.

Senti que eram Perdoai e Ofendido, eu vi, a cara embaralhada, o rabo incontido. O sol estava tão forte no dia em que o Google veio neste cemitério que em algumas tumbas não consigo ler as inscrições metálicas, as pessoas morrem em tão variadas idades, como podem acreditar num Deus tão sórdido que foi nos conceder a consciência apenas para ocultar-nos a data da nossa morte, um Deus aflitivo e sádico só poderia ter saído da nossa própria invenção.

Neste outro também não há um tampo rosa que me lembre o túmulo da minha filha, a Rosa quer que eu de repente me lembre de tudo e chore, então ela vai aproximar a tela até ler o nome da minha filha, o meu sobrenome, daí pronto, fim. Perto do campanário dou com um grupo de pessoas, já aprendi que não posso seguir caminhando senão elas somem, apenas me aproximo no zoom, amei essa tecnologia, muito mais prático para visitar o túmulo do seu parente. O grupo de pessoas está muito descontraído, chinelos, bermudas, dois estão sentados num banco, parecem fumar. É possível que estejam ali como numa tarde num parque, um parque revestido de mortos, e tudo bem, é isso também que somos, um restinho incalculável de vida, revestido dos nossos mortos, e dos mortos dos outros, hoje estão vivendo apenas sete por cento do total de pessoas que já viveram neste planeta, eu li, passamos tão mais tempo mortos do que vivos.

Já não lembro a tumba da minha filha e da minha mãe. Diz a Rosa que eu falei que era de concreto, pintado de rosa, mas não feio como pode estar soando, era um rosa gentil, de jardim, deitava-se sobre o tampo como se deita num jardim, uma árvore em cima, a sombra oscilando na brisa.

Alguns mausoléus são tão grandes e com telhadinhos, parecem casas, dá para morar dentro, Venha ver o pôr do sol. Não tinha como a Lygia usar o Google para passear no cemitério e escrever Venha ver o pôr do sol, ela já não era jovem quando publicou isto, deve ter pisado ela mesma, não jovem, num cemitério real, "subiu sem pressa a tortuosa ladeira", reparou num jazigo aberto, as grades enferrujadas, e então imaginou que tudo isso estava abandonado, e pronto, a mente fez o resto de trabalho sujo.

Quando passei esse conto aos meus alunos do ensino médio eles me chamaram de sórdida, nas palavras deles, que são sempre menores, mas sórdido, eu já disse, é o Deus de vocês, que deixa que tenham quinze anos e não saibam mensurar o ridículo de tempo que pode faltar até a morte. Rosa, esses cemitérios aqui são chiques demais, eu sou professora, minha mãe trabalhava numa fábrica de papel higiênico e vendia bolos, tudo bem que era mais ou menos gerente de um mais ou menos subsetor, tudo bem que o Antônio tinha um emprego interessante, digamos assim também mais para sórdido do que interessante, mas daí isso é com ele.

A Rosa digita o nome de um outro cemitério, sempre tem um Cemitério da Saudade, como se os outros não fossem. Mas esse o Google não foi visitar, fiquei vendo as fotos que as pessoas colocaram, nada lembra a minha filha, muitos tampos abertos direto sobre a terra, soltos, por isso o Google não foi, era capaz de fotografar algum morto. Um dos vídeos que colocaram lá são aves pretas barulhentíssimas gritando de uma árvore para outra, nunca ouvi esse som sobre o túmulo da minha filha, não é lá.

Noto que o Google não foi em quase nenhum cemitério, fico vendo as fotos que os visitantes tiram e botam lá, o que já é uma coisa curiosa de se pensar, pessoas que fotografam tumbas em cemitérios humildes e sobem as fotos e vídeos para o Google, certamente não era a ideia que eu fazia de futuro. Percebo também que isso foi uma espécie de placebo, a Rosa queria que eu ficasse vendo esses cemitérios achando que podiam ser o meu, o jazigo da minha pequena família, até produzir uma lembrança precisa, gritar, ela daria zoom, e então me humilharia com o nome de alguma socialite dos anos oitenta.

No fim estou visitando todos os cemitérios do Google em outros países, lindíssimos, estou ainda mais lúgubre. O jazigo da minha pequena família deve ser gostoso de deitar em cima porque minha filha Camila era muito apegada nisso de deitar no chão, eu não podia distrair um segundo e ela deitada na areia imunda dos parquinhos, rolava no asfalto, gostava de se enfiar nesses dutos gigantes que eles fazem para crianças e mais parecem um encanamento abandonado atafulhado de penas e teias de aranha, eu avisei mil vezes, mas não se avisa uma criança, a uma criança precisamos apavorar, devia ter descrito em detalhes tudo que podia acontecer, é esse o papel de uma mãe e eu não cumpri, era também o papel da minha e ela nunca cumpriu, mas eu dei muita sorte, aprendi logo cedo a tomar minhas próprias precauções.

No começo o fungo do pombo parecia uma gripe, foi ficando mais forte, a menina febril desmilinguida em febre, um formigamento, a maldição sobe logo para o cérebro e os médicos têm um jeito peculiar de consolar, que é a explicação, explicaram a morte da minha filha, tudo branco, o barulho oceânico do eco hospitalar, eu me afogava na ciência daquela morte, a inalação do fungo pode ter sido em qualquer lugar, que não era pra eu me culpar, quando se escuta uma frase dessas se instala de imediato a mais irrefragável das culpas, eu deveria ter respirado primeiro todo o ar que passaria por ela, filtrado cada partícula, não posso ver um pombo, quero gritar, pareço maluca, uma velha maluca dos pombos só que ao contrário.

Alguém passeia pelo cemitério onde está a minha filha e olha a sua foto e as datas de começo e fim da sua existência e conclui que a vida é absurda, esse visitante pensa numa hipotética versão de mim, na desgraça que devo ter me tornado desde que enterrei a menina, imagina se o caixão que tem dentro é de um tamanho menor, e é, durante vários meses precisei de muito esforço para não pensar na Camila literalmente embaixo da terra, porque isso era pensar num cadáver, minha filha era cada vez mais massa pastosa e cheia de larvas, é por isso que teria sido mais elegante cremar, mas fiquei achando que seria muito solitário, isso de voltar para casa com um pote, cada vez que me ocorria o seu possível estado de carnes eu agarrava a última foto pra gravar na mente o sorriso, o vestido amarelo, a pele inteira e viçosa. Eu ansiava que o tempo corresse logo e eu tivesse direito à palavra ossada. Ossada seria minha nova forma de paz.

**VINTE E CINCO**

A minha filha Camila começou a ir mal na escola no terceiro colegial, justamente em Português, além da Física, que é mais esperado, mas o Português foi para afrontar. Oração subordinada substantiva subjetiva, no Subordinada ela já não me ouvia. Cheguei a fazer um bolo, servi no meio das apostilas, quentinho, era de cenoura, o brigadeiro por cima, embora ela não devesse comer chocolate, porque além do regime tinha a coisa com as espinhas, a cara toda empelotada, e quanto mais antiestética ficava aquela adolescência, mais ela me destratava. E ao português.

No meio de uma correção de uns testes de gramática numa tarde eu trouxe o bolo e ela pegou com a mão o pedaço e jogou no chão. Pensei em pegar do chão e enfiar na boca dela, tudo esfarelando sobre os cadernos, minha filha engasgando ardida das migalhas na laringe, o brigadeiro no nariz, no olho, pra tirar a minha mão da boca ela dá socos na minha barriga, no meio disso engole muito bolo com pelo de cachorro, porque a cobertura caiu virada para o chão, os cachorros latindo.

Quando enfim apaziguássemos, ofegantes, eu subiria as escadas, impávida, e sairia do quarto somente no dia seguinte para trabalhar na mesma escola em que ela reprova sistematicamente na minha matéria.

Mas não me movi, os cachorros comeram o bolo imediatamente feito um regalo frugal, então subi as escadas em silêncio, não triunfante como imaginei, os sons das tábuas dos degraus marcando o compasso da minha desistência, eu subia bem devagar para comunicar Eu desisto de você, como quem desiste da Gramática, do bolo de cenoura, do casamento.

Eu tinha receio de que quando a minha filha fosse moça eu sofresse de inveja da sua juventude, olharia as pernas animadas no short do uniforme, as conversas com amigas, o futuro, e ia me doer a minha velhice. E agora ela estava ali, sendo qualquer coisa que ninguém almejaria, empolada de acne, incompetente nos estudos, chegava o sábado e ela não tinha com quem sair. Eu queria que ela fosse feliz pelo menos ao ponto de me dar vontade de ser a minha filha.

Ela queria muitíssimo a viagem de formatura, que além de me custar um parcelamento infinito, era um panteão de álcool, drogas, música ruim, oportunidade para que ela fosse humilhada por garotas bonitas e jovens estragados. Não é pra esse tipo de viagem que a gente põe filho no mundo.

De noite depois de terminar de estudar ou de encarar o livro sem nenhum resultado, ela subiu bem mais depressa que eu, ouvi os degraus, ficou em silêncio uns instantes diante da minha porta, depois gritou que eu faço bolo pra depois ficar falando que ela engordou. Ninguém tem um filho supondo precisamente a adolescência.

Por que ela queria tanto ir? As pessoas iam vê-la de biquíni. Fotos oficiais que depois iam querer me fazer comprar, diversas meninas iguais, pequenos shorts, a minha filha na ponta do pé ao fundo tentando aparecer, o sorriso atrás da aba do boné de alguém.

O ano foi escalonando o imbróglio, eu não sabia o que dizer quando servia a janta, ficávamos em silêncio, ela esquecia de propósito os panfletos da viagem na mesa, fez o homem da agência me ligar, ele me chamava de Mãe em tom de marketing, tanto faz a mãe, são todas iguais, só precisam ficar seguras.

Eu queria que eles devolvessem minha filha, que ela me olhasse, falasse comigo, acertasse a lição de Português, escolhesse uma profissão, lembrasse o vestibular, queria que nunca mais eles inventassem viagem nenhuma para os jovens se destruírem coletivamente no ano mais cheio de responsabilidades, falei tudo isso e muito mais para o agente enquanto ouvia Camila chorar na extensão, e uma hora ela não se conteve e começou a gritar comigo na linha telefônica, o homem tentou conciliar, disse que não era jeito de falar com a mãe, e eu também não gostei de ele educar a minha filha, falamos os três muito ao mesmo tempo, até ele bater o gancho.

Foi assim que eu desisti da Camila. Fui exaurida. Eu queria que ela voltasse a falar comigo, passasse um dia sem chorar, eu simplesmente entreguei minha filha para a viagem de formatura do colégio. Fiz uma lista dos perigos todos, ela teve de memorizar mais fielmente isso do que todo o conteúdo do vestibular, drogas, bebida, mar à noite, mar de dia, bebidas de estranhos, porta do quarto destrancada, os perigos são notórios e rendem um pergaminho, o próprio avião já era um risco desmesurado.

Se eu tivesse levantado o bolo do chão e enfiado na boca dela, será que ela teria ido nessa viagem, eu fico pensando, ou teríamos brigado tão terminantemente que não haveria mais o assunto. Apesar de todos os itens de cuidado da lista, faltou um.

Dentro da minha cabeça se instaurou um trem barulhento que volta insistentemente em alta velocidade para o mesmo ponto, que é o instante hipotético em que eu adiciono à lista de perigos esse que faltou, e então ela toma cuidado.

O que a Camila estava fazendo sozinha no coqueiral. Procurava detalhes da morte da Camila nas reportagens. Só foram encontrar o corpo no dia seguinte, nenhuma reportagem explicava por que no meio de uma viagem em grupo ela estava sozinha num extenso coqueiral afastado da praia, trilha para outra praia, talvez, não explicam, por que ninguém quis ir com ela, onde estavam todos os outros.

Fiquei pensando será que a minha filha estava chorando quando um coco caiu dezenas de metros até explodir na cabeça dela, será que ela entendeu o golpe, por uns segundos achou que foi assassinada? Isso eu nunca vou saber, se a minha filha estava chorando enquanto caminhava sozinha no coqueiral no meio da viagem de formatura.

## VINTE E SEIS

A Rosa me perguntou do que eu mais sinto falta fora deste lugar e eu disse que é do cheiro de rodelas de cebola caramelando numa panela com manteiga. Também o cheiro do vinho branco fervendo em cima dessa cebola até evaporar e se instalar na casa inteira.

É um cheiro que me lembra da minha amiga Camila, nós cozinhávamos muito, sempre em desalinho, até no tempo da cebola discordávamos, ela queria deixar parado até quase queimar e eu mexia antes. Eu que cortava as cebolas, sempre, porque quando íamos começar ela queria antes fumar um cigarro então eu ia fazendo e o cigarro não terminava nunca.

Daí ela levantava serelepe na hora mais gostosa que era jogar a manteiga e deitar as cebolas por cima, o sal, uma pitadinha de açúcar, às vezes tinha mascavo, o cheiro, Rosa, o cheiro que isso ficava! Nós duas até nos olhávamos em silêncio, abençoadas por uma amizade que podia ter esse cheiro.

Quando não estávamos de dieta ela pedia pra eu fazer a torta, e pedia fingindo pra mim que não sabia fazer, como se fosse uma torta toda minha, especial, mas era só um truque pra ficar fumando enquanto eu fincava os dedos nos cubos de manteiga e farinha até virar uma bola imensa e dura que eu tinha de abrir em fúria com o rolo de macarrão até cobrir a assadeira inteira, daí as cebolas carameladas, o creme de leite, os ovos, e ela levantava pra palpitar na quantidade de noz-moscada, discordávamos.

E então comíamos com alguma tristeza porque sempre deveríamos estar de dieta, principalmente eu. Não, principalmente ela que era bonita então as pessoas têm mais expectativa de que consiga se manter magra, isto é, sem tortas. Uma vida inteira assim.

Não tem como uma torta ser melhor que aquela, se a Rosa me trouxer quarenta cebolas, dez manteigas, farinha, muito creme de leite fresco, uns vinte ovos, noz-moscada e um bom queijo, eu passo um domingo fazendo as tortas pra esse abrigo inteiro, mas precisa de muitas assadeiras redondas também, e um forno bom, o forno daqui está tão esbeiçado, mas não tem frescura, só não vai gratinar tão bem aqui, Rosa, será que não dá pra conseguir?

Ninguém aqui neste lugar imagina o que é uma torta de cebola assim, essas pessoas comeram tão mal a vida inteira. Pelo menos elas se lembram da vida inteira.

A minha amiga Camila estava grávida e eu olhava a barriga imensa dela atrapalhando o caminho da pia, a barriga me fazia sentir insuportavelmente não grávida, e ao mesmo tempo era um alívio indescritível, já imaginava aqueles dois braços, uma das mãos fumando porque naquela época as grávidas podiam dez cigarros por dia, e a outra mão segurando a cachacinha, que também podia, já imaginava os dois braços terminantemente ocupados com um bebê difícil de pousar em qualquer canto, os choros, a fragilidade da moleira, a figura que ela seria, ela inteira essa mãe doméstica, ainda mais atada ao Upa Lalá que tudo bem era homem honesto, era isso, um homem honesto, hoje em dia isso já é tanto, ela satisfeitíssima com o bebê e o homem honesto, ainda assim muitos dias difíceis, eu fazia a torta.

Era bom o apoio do Antônio para eu estar livre disso. E era bom também a barriga da Camila na minha cozinha prestes a ser um bebê, eu já educava tantas crianças como professora, essa eu poderia educar especialmente, intimamente, mas nunca do meu jeito, se já discordávamos da noz-moscada. Mas tudo bem, ajudaria a educar do jeito da Camila, uma criança obediente e discreta, com pequenas heresias.

Mas teria os perigos, a Camila nunca estava suficientemente alerta, esse papel seria irresistível pra mim. No fim a criança sobreviveu, depois virou homem e se mudou pro México. Ou era Novo México.

Depois da despedida no aeroporto ela veio pra minha casa e chorou tanto, eu fiz a torta. Ela chorava sem consolo e eu só sabia dizer que não era tão ruim assim, eu nem tinha filho, ela tinha um no México ou Novo México, na prática as duas não conviveriam com filho nenhum, e tudo bem.

No dia do parto eu fiquei do lado do Upa Lalá, às vezes ele levantava a cara do chão e me olhava e a gente sorria desconcertado, como pode ser normal isso, aguardar um nascimento, um começo de vida, sabendo que as vidas acabam, e que a partir daquele dia se inaugura o mais aniquilador dos perigos, que é aquela morte, o tempo todo pode ser a morte, os sapatinhos do futuro pai agitados no chão, ele tinha os pés pequenos, estava sempre de sapatos, nunca tênis, um homem honesto, várias vezes cruzamos nossos olhares e talvez nos questionássemos como seria agora essa família, com essa criança que para mim era alguma espécie de filho meu ou no mínimo sobrinho, sendo que para o Upa Lalá eu era no máximo um incômodo, uma parasita, sorriu de novo, nervoso, não pensava no perigo da morte dessa criança, há pais que nunca pensam, o que angustiava era justamente a vida, e é angustiante mesmo, dali em diante não seriam mais as mesmas pessoas nem teriam a mesma fluência e liberdade nos braços, é tão evidente o fastio nos braços dos que têm filhos, se não estão segurando o bebê estão segurando sua parafernália, será que era nisso que pensava, como seria possível à Camila ao mesmo tempo fumar e ter um filho, em como faria para segurar o resto da vida sempre alguma coisa nos braços.

Ajudei a entrar com o bebê no carro, nem isso sabíamos fazer, não lembro se era o fusca colorido do Antônio ou o carro do Upa Lalá, que absurdo era entrar no carro com um bebê daquele tamanho, a Camilinha que segurava a boneca com tanta convicção agora tremia inteira diante da realidade de voltar com um bebê pra casa, talvez as mulheres entrem para o parto sem estarem tão conscientes disso, a materialidade de voltar com um bebê pra casa.

Daí em diante não lembro mais nada, não sei que espécie de tia me deixaram ser a esse menino, não sei do menino, sei do México, ou Novo México, as tortas de cebola. A Rosa vai bater tudo isso com o que já tem no caderninho, ela não me deixa ver o caderninho, só sei que há vários círculos em volta de fusca, ela diz que é a coisa mais firme e resistente do relato, eu dou risada, mas não acho tanta graça.

## VINTE E SETE

Rosa diz que eu estava descalça mancando quase na beira da estrada sem nenhum documento ou telefone, só uma coleira vazia na mão, gritando Quero a Camila de volta. Eu posso ter chamado minha cachorra de Camila e vai ver ela sumiu e eu enlouqueci de vez com essa última perda.

Não me lembro de nenhuma cadelinha Camila, só sei do Perdoai e do Ofendido, que os vizinhos os tenham, Perdoai morre de medo de fogos e no Revéillon isso fica enlouquecedor. Gosto de deitar uma hora olhando para o teto antes do horário da Rosa, já sei de cor cada falha na pintura, poderia brincar de ver formas como se faz com nuvens. É boa essa hora pra coletar tudo que lembro no dia, às vezes não é muito, tem dias que só consigo mesmo pensar em tudo que já sei da infância, a minha amiga Camila foi a minha infância, quando é que nós duas disputando personagens no recreio – Quem você vai ser? – poderíamos supor que eu terminaria em surto poético, desfeita por dentro, na beira da estrada, senhora, qual seu nome? Qual seu endereço? Aurora.

Na casa dela eu não gostava de ir porque ela ficava quieta e dura diante da mãe, não dava pra brincar direito de nada, e na minha também era esquisito porque ela percebia que a minha mãe não estava nem aí, às vezes nem tinha janta, e eu ficava constrangida de acender o fogo e cozinhar ovo, mas ela achava o máximo, o olhinho brilhando diante da minha liberdade.

O ruim também de levar a Camila em casa é que depois minha mãe não parava de falar o quanto ela era bonita, porque isso era a coisa mais importante do mundo, de mim ela não falava nada, mandava pentear meu cabelo, o que queria dizer alisar com a escova até parecer uma peruca eletrizada, o pior que pode haver é uma mãe que não entende como funciona o cabelo da filha, daí em diante se instalam todos os demais desentendimentos.

Depois eu comecei a achar gostoso, sim, eu sou amiga da menina bonita, ela me escolheu, era uma forma de me elogiarem, ela sempre apresentável em tudo, dócil, gentilezas, condescendências, autocomiseração, o guardanapo no colo, minha mãe caiu na gargalhada, o copinho de cachaça ao lado, a Camilinha discreta estendendo o guardanapo barato de papel para ajeitar no colo feito uma dama, sabia que não acredito em Deus?

No carnaval da escola jogavam serpentina e confete na quadra, a mesma quadra em que às vezes ela atingia sua plena desenvoltura jogando queimada, e as crianças podiam ir fantasiadas. Eu sempre tinha engordado um pouco mais e não cabia em nenhum adereço do ano anterior, no máximo a tiara, então íamos improvisando e não sabia explicar a ninguém do que eu estava vestida, até que respondi: sou o Carnaval. Tomaram distância, examinaram meu maiô listrado, uma saia vermelha de tules que minha mãe ajudou a costurar – essa era a melhor parte do carnaval, embora ela criticasse minha incapacidade de seguir cabendo nas roupas, ficava bordando comigo, na barra iam lantejoulas e lantejoula é uma coisa que demora –, a Rosa gosta muito quando eu falo da minha mãe, acho que ela está cursando psicologia, porque não bastava ser uma heroína desta cidade dando conta dos filhos vivos e do filho morto e de todos os órfãos do subdistrito e dos velhos órfãos também, além de tudo ela consegue fazer outra faculdade, a faculdade cara que ela deu um jeito de financiar não sei onde, ainda assim não tem um olhar endividado, os golinhos calculados de água a cada dois minutos, eu vou sentir mais falta da Rosa do que sinto agora da minha vida.

A Rosa não gosta de me dar informações técnicas, mas às vezes escapa, é mais forte do que ela, e depois reclama que meu transtorno de ordem poética pega as palavras dela e transforma em melancolia. Hoje ela disse que um senhor que eu quase não vejo porque de fato sai pouco dos quartos está atingindo o grau III na classificação de dependência e vão precisar lutar para achar vaga em outro lugar para ele, que aqui não tem enfermeiro suficiente, agora me digam como é que uma velha escuta o conceito Grau III de Dependência e não transforma automaticamente em melancolia.

Outro dia também ouvi a Rosa no telefone falando a palavra desfamiliarização, ela explicou que usou no bom sentido, não sei o que é e não vou nem dizer o que eu penso dessa palavra.

Na quadra da escola examinaram minha fantasia, as antenas feitas de uma tiara com molas e nas pontas bolas de outra cor, serpentinas trançadas nos meus ombros, e concluíram que de fato eu poderia ser o Carnaval, ou uma abelha venenosa. A Camila resplandecia na fantasia de havaiana, a barriga esbelta de fora, o carnaval logo chega aqui no abrigo e é capaz que coloquem nos idosos aqueles colares havaianos, sem que nada mude em volta, tudo igual, porém com colares havaianos, será isso o carnaval. No alto-falante da escola as marchinhas repetiam em ciclo, eu ficava tão triste com a Camélia que caiu do galho, deu dois suspiros e depois morreu, e além de tudo foi tranquilamente substituída pela jardineira que era muito mais bonita. O Carnaval sempre foi um troço tristíssimo, é a receita para a melancolia, multidão em frenesi, músicas repetidas, e a tentativa de parecer algo que não se é, o que sempre foi minha maior dificuldade, a Camila me puxou para pular no centro da quadra, porque em tese o verbo para o Carnaval é pular, pula-se carnaval, e eu pulei o quanto pude segurando as mãozinhas dela, não podia soltar, porque o sentido da festa estava naquilo, os saltinhos de mãos dadas, se eu soltasse seríamos duas almas solitárias no meio do barulho, alalaô sem saber o que seria a vida e podendo apenas torcer que fosse mais que aquilo.

Minha mãe não gostava de carnaval e me deixou ir ao desfile mais ou menos improvisado uma vez com a família da Camila, sentados comportadamente na arquibancada, mas o horário dos folguedos era muito tarde e desregulou todo o meu sono, depois voltamos de madrugada e era longe, o pai da Camila exausto ao volante, os absurdos que a minha mãe me deixava fazer, eu mesma depois tive de passar a controlar os perigos que corria. Fiquei pensando se existia mesmo abelha venenosa.

Nem foi legal porque a Camila sentou de perna aberta e a mãe deu uma bronca e ela ficou toda amuada o resto da noite, uma porcariazinha de bronca à toa que ninguém ouviu, eu aproveitei e abri as minhas, mas a mãe dela não ligou, não se importava se eu sentava de perna aberta ou sem perna nenhuma.

Quando eu cheguei neste abrigo estava acontecendo algum simulacro de festa, não, na verdade os restos da festa de Réveillon de dias atrás estavam despendendo das fitas crepes na parede misturados a um ou outro adorno de Natal meticulosamente aguardando o Dia de Reis, e os idosos tentavam parecer celebrativos na fila do almoço, a Rosa conversou muito comigo, repassou as informações do neurologista e do psiquiatra do hospital, desafiou, instigou, ficou inteira interessada por mim, toda inflada da própria irrefragável benevolência, passou do horário, perdeu a paciência, retomou a paciência, e foi embora já estava escuro, eu queria que tivesse ido embora de dia, escuro foi muito triste, este quarto pela primeira vez, sem a Rosa e o caderninho e a aguinha dela, lá fora um restolho de conversas e rastejar de andadores.

Daí depois do desfile os pais da Camila me deixaram em casa, eu queria dormir na casa deles, mas não deixaram porque a Camila estava de castigo por alguma besteira que ela nem questionava, que raiva que me dava quando ela não questionava nada pra ficar mais um tempo comigo, hora de devolver a amiguinha, e me deixaram na porta da minha casa com tanto sono que não conseguia dormir, ainda vinha barulho de gente na rua ficando louca de carnaval e foi uma noite muito melancólica, é ruim ser devolvido em algum lugar para dormir sozinho de madrugada, é ruim ser devolvido em qualquer lugar.

**VINTE E OITO**

Foram três as minhas gestações, da mesma criança Camila. Primeiro, houve o instante em que após tantos anos negando, Antônio acordou, numa terça-feira, bem disposto e já ajeitado para o trabalho, virou o café pelando naquela garganta que devia ter calos porque não doía nunca, os militares finalmente tão arrefecidos que ele quase ia feliz para o Instituto Médico Legal e já não falava no absurdo que era o fato de as pessoas continuarem produzindo novas pessoas para este mundo, e falou assim – se eu não tivesse escutado direito suporia que era qualquer banalidade sobre a janta mais tarde –, acho que podemos ter um filho, e de tão assustado com a própria frase saiu batendo a porta.

Fiquei ali num silêncio de cozinha, umas águas pingando, motores de uma geladeira jurássica, máquina de lavar roupa bombardeando no fundo, foi um susto aquele começo de gravidez, finalmente escutar o que eu mesma tinha a dizer sobre isso em vez de apenas implorar a um homem que aceitasse o título de pai sendo que eu nem precisava dele, tinha amantes, havia o Natalício que se eu quisesse, quem sabe, no silêncio de cozinha um filho já não parece uma boa ideia, mas àquela altura o bebê já quase implantado em mim.

Quando avisei minha mãe que ela seria avó ela respondeu que jurava que a essa altura eu não conseguiria mais engravidar e me deu os parabéns, então esclareci que não estava grávida ainda, era uma decisão, e ela riu, filhos não eram decisões, eram desdobramentos, está bem mãe então vou me desdobrar, literalmente, que é isso que mães fazem até serem na melhor das hipóteses enterradas pelos filhos, elas se desdobram.

Eu não precisava decidir nada, era capaz mesmo que a essa altura não engravidasse e daí pronto, estávamos todos a salvo, só que engravidei muitíssimo, com a determinação e eficácia dos indecisos, e começou a segunda gestação da Camila. Tomei um café com Natalício, o feto ficou eriçadíssimo de cafeína e ele sugeriu que eu rebatesse com um chá de camomila, mas era só pretexto para mais um tempo àquela mesa que talvez ele tenha acreditado que fosse mesmo a última, eu mexia o saquinho do chá pensando que camomila era um nome lindo, se pudesse batizaria assim a minha filha, ou o mais perto possível disso.

Naquela época o programa de televisão do Natalício estava um sucesso, muito mais sucesso do que pode ser um programa sobre detalhes da língua portuguesa, acho que ele falava no rádio também então se podia ouvir a voz dele em qualquer cômodo, se tivessem me dado essa ideia eu teria jurado que seria um fracasso, no entanto ele ali contentíssimo partindo para a própria vida, da qual provavelmente jamais tinha estado perto de sair, enquanto eu apenas totalmente grávida e nada além disso, logo depois que eu marquei aquele café para dizer que agora não nos veríamos mais já me arrependi, por que diabos não o veria, mas alguma coisa já estava sendo gestada, algo devastador e pleno, alguma comunicação placentária já me avisava que nada mais na minha vida atual ia ter o menor sentido.

Antônio parecia arrependido da única vez em que decidiu que seria pai, basta uma vez, uma decisãozinha com o café pelando na garganta, trazia até flores de vez em quando e um breve carinho na minha barriga, depois ia reclamar do cheiro da ração do Perdoai e do Ofendido e eu pensando quantos cheiros dali em diante haveria para ele reclamar e meu Deus do céu aquele homem não ia durar nem mais um ano na minha vida, eu queria que o Natalício ao menos uma vez perguntasse se tinha alguma chance de o filho ser dele e não tinha mas eu queria tanto que ele perguntasse, que angústia ia me dando a barriga frágil que exigia atenções, não podia estar parada demais nem fazer contrações excessivas e se eu não soubesse escutar os sinais e a questão da moleira que eu lia muito, vários cuidados com a moleira e a possibilidade de engasgo com a própria saliva durante o sono, como era possível isso de estar inteira dedicada a fabricar um ser que pode morrer com a própria saliva durante o sono e que ia ser o amor mais absoluto da minha vida e o Antônio com o sorriso engessado de quem quer voltar atrás e o Natalício que não ligava para perguntar se o filho poderia ser dele, e não era.

Vários dos pavores que adquiri lendo todos os pavores que existem sobre o parto aconteceram comigo, a minha jornada hospitalar alcançou quase vinte horas e eu não acreditei que não chegou a vinte e duas horas porque esse era o único consolo para aquele martírio já que o meu nascimento custou à minha mãe vinte e duas horas de luta e então nem mesmo essa glória me coube. Eu estava ali inteira esvaziada e escorregadia dos sucos todos, estufada de respirações e inchaços, grumos vermelhos estourados em toda a pele, nos meus braços uma criança exausta de nascer, o médico satisfeito foi chamar minha mãe e o Antônio, no pouco tempo em que me deixaram ali entorpecida eu queria pensar na Camila mas pensava que a minha mãe entraria e se dirigiria à minha filha Puxa você demorou quase tanto quanto a mãe hein sua danada, a ênfase no quase, o silêncio que ficou depois do parto era o mesmo silêncio de cozinha, motores abafados distantes e um tintinar de metais, o meu rebento ofegante caladíssimo sem forças pra me contar direito como era a sua voz, a cara amaçarocadinha do esforço de se esgueirar pelos meus dutos, a cabeçona cônica e careca, uma criatura inteira desgastada daquela desova, Pronto, pronto, descansa que estamos as duas vivas e isso é fenomenal, e minha mãe surgiu primeiro que o Antônio doendo meu olho no relance de luz que veio do corredor e foi chegando junto com o cheiro de cigarro que era evidente mesmo ali no meio do cheiro de sangue e obstetrícia, fez uma saudação celebrativa e quando chegou perto começou uma risada alta demais para o meu novo silêncio, Nossa Senhora que bebê feio!

Tinha começado a terceira gestação da minha Camila.

Existe todo um sistema de humanidade calcado na naturalidade com que mães e pais levam minúsculos bebês para a casa e sentam-se atônitos no silêncio de cozinha cientes de que existe a Síndrome da Morte Súbita Infantil e pelo próximo ano há pouco a fazer sobre isso e tudo a temer, cada instante de sono é vigília e cada despertar um alívio, uma glória.

Junto com a terceira gestação da minha Camila também gestei uma paradoxal solidão que era aquela de estar com o meu bebê na totalidade do tempo e não haver mais ninguém no mundo que pudesse alcançar a importância daquele ser que não tinha nenhuma palavra a dirigir a mim e no entanto transformava todo o meu corpo num receptáculo das suas comunicações, o leite me escorria na primeira nota ainda abafada de um choramingo. A casa inteira num silêncio de cozinha, de vez em quando uma televisão distante que eu só aumentava quando era o programa do Natalício, que ainda não havia perguntado se a filha tinha alguma chance de ser dele, e não tinha.

Antônio além do futebol de várzea fazia horas extras cada vez mais longas no Instituto Médico Legal, tão longas que para mim já estava parcialmente morto numa das mesas de metal, tudo para não estar numa casa que pertence a um bebê cujo cheiro é muito diferente de clorofórmio e morte, mas ainda assim pode ser um cheiro azedo, eu já não sentia, inteira enredada que estava na tessitura das nossas trocas, minhas horas de sono se não eram picotadas por choros eram brutalmente aniquiladas pelo silêncio e minhas constantes corridas até um berço que poderia estar contendo ardilosamente a Morte Súbita Infantil.

Antônio já não vinha mais pra casa e nós duas ficamos ali nessa incubação, eu ainda tão buchuda que às vezes sentia que a filha continuava em mim, ou que me cairia outra a qualquer momento por baixo da pança numa sequência natural daquela que agora era a minha vida, toda filhenta, frutuosa, o bebê ficando cada vez mais bonitinho para alegria da minha mãe que a cada sábado reparava no progresso das feições fazendo vozes pouco convincentes de ternura, mas onde você foi arranjar um nariz desses minha netinha, o Lobo Mau engoliu a vovó e agora visitava a neta, e quando não era sábado minha mãe ligava um pouco antes das nove da noite durante os meus dez minutos de janta só pra sondar se Antônio não tinha mesmo voltado, e lamentar a sina das mulheres dessa família em repelir todos os homens.

Num desses sábados minha mãe fumou muito no meu jardim, criticou minhas cadeiras e fez uma pipoca que empreteceu minha melhor panela. Entre uma mãozada e outra de pipoca, o bebê aninhadinho no meu peito, os cachorros contentíssimos com a visita que era a única novidade em toda a semana, ela me disse que talvez estivesse doente, antes que eu me alarmasse já conteve qualquer pergunta que eu tivesse, e eu não tinha. Ainda estava investigando, nada demais, mas poderia começar uma fase difícil, ela não é de ficar falando que nem eu, não gosta de alarde e nem de ficar vendo morte em tudo, mas que, sim, de fato, podia vir uma barra meio pesada pela frente, e quanto mais ela falava mais jovem parecia, de tanto me pedir bebidas que eu não tinha dessa vez ela trouxe uma garrafa e se serviu na mesa do quintal que estava bamba – ela reclamou –, e virou sucessivas doses, mas que eu não me preocupasse, que eu já tinha bastante o que cuidar, é isso que fazem as mães, desdobram, elas se desdobram até que na melhor das hipóteses são enterradas pelos filhos.

Na mesma mesa bamba do jardim e fumando igual também tinha de vez em quando outra pessoa, outra mulher, outra mãe, não sei, lembro os cachorros no colo de outro adulto, extasiados e barulhentos irrompendo no meio do meu silêncio de cozinha, alguém com uma risada insubstituível que ia colonizando tudo de riso, povoando as estantes e regando as minhas plantas, tinha também uma outra criança, bem mais velha, inquieta, incapaz de se conter em nenhum espaço, um menino que talvez esteja hoje no México ou Novo México, não sei que visita era essa, mais rara do que eu precisava, mais intensa do que eu suportava.

Então houve esse sábado em que minha mãe falou da disposição inadequada das roupas da minha filha nas gavetas e aproveitou pra me avisar que ia começar a morrer, tchauzinho, até sábado, e eu quis perguntar se então já que ia morrer não compensava se aposentar e vir também nos dias de semana, mas não cabíamos juntas em lugar algum.

O caixão de um bebê é uma imagem que nunca ninguém deveria ver. Não sei se é do conhecimento geral, mas deveria ser, um colega que dava aula de Ciências me contou uma vez com bafo de estômago e café na Sala dos Professores, nunca esqueci, a mãe polvo Gigante do Pacífico passa seis meses alisando todos os seus ovos sem descansar por um segundo, os tentáculos doídos, não para nem pra comer, e quando eles finalmente eclodem, a salvo, ela sorri para o seu destino e morre de exaustão e fome. A natureza não espera menos que isso de nenhuma mãe.

Quando seu filho nasce é preciso oito tentáculos incansáveis, você não deve dormir, é tudo muito mais perigoso do que dentro da sua barriga, deve verificar de três em três minutos se as vias aéreas estão desobstruídas, pode haver um refluxo um pouco mais denso, pode ser que de repente o seu filho não vingue, feito uma planta mal exposta ao sol, e tudo isso pode ser no mesmo sábado em que sua mãe avisa que vai calmamente começar a morrer e depois você pensa como seria diferente a vida se você ainda tivesse os dois braços livres sem um bebê, mas é um pensamento de menos de um segundo, tão pequeno, a imagem do caixão de um bebê é uma coisa que faz dobrarem os seus joelhos e alguém segura os seus ombros, uma mulher que não é a sua mãe, sua mãe ainda está viva e você deu um jeito de roubar o protagonismo da morte dela, essa pessoa que segura os seus ombros e desdobra o seu joelho – é isso que fazem as mães, elas se desdobram – é uma pessoa que você ama também, a sua grande amiga, mas que agora não vai bastar nunca mais, porque você viu a imagem do caixão de um bebê, o seu bebê.

## VINTE E NOVE

Qual é melhor, essa ou essa? A voz dela toda juvenil antes das décadas de cigarro roufenhando as cordas, se eu pudesse sair deste lugar diretamente de volta para uma tarde talvez fosse uma dessas em que tínhamos dezessete anos e a Camila comparava duas fantasias para um baile ridículo de carnaval no sindicato dos papeleiros, minha mãe viajando com um colega da fábrica porque era feriado e ela resolveu que podia ser uma pessoa que aluga um carro de praça e viaja em feriados, ainda que apenas para a colônia de férias do sindicato, então Camila e eu tínhamos a casa vazia para brincar de adultas, eu servi dois copinhos de cachaça que sorvemos em bebericadas imperceptíveis, naquele calor o corpo dela bronzeado suava nas lantejoulas e ela levantava os braços e assoprava as axilas delicadamente, eu amava aquele gesto.

A festa do sindicato era num galpão de péssima acústica e iluminação de futebol, as marchinhas estourando em caixas insuficientes, de vez em quando entrava por cinco minutos uma idosa bandinha de sopros, os confetes grudando no chão no açúcar embarreado de refrigerantes e solas de sapato. Era nossa festa mais incrível, eu tentava usar um salto alto.

Rosa me pergunta se o sindicato era perto de casa, mas não adianta, Rosa, não é a mesma casa, essa era a da minha mãe que talvez não seja nem na mesma cidade, mas sim, Rosa, o galpão, que nem deve mais existir, talvez seja um shopping, ou galpão de armazenamento de grãos, era perto de casa, íamos andando, mesmo de salto, as duas de fantasia achando legal o alvoroço dos homens tão velhos nas ruas aplaudindo nossas cores, algumas avenidas fechadas só para pedestres porque esses eram dias especiais para os pândegos.

A Rosa não gosta de carnaval, aqui no abrigo eles devem colocar colares havaianos nos idosos e pronto está instalada a folia, ninguém verdadeiramente gosta de carnaval, eu suponho, é uma celebração com inúmeras falhas, mas vale como filosofia de vida, desde que saibamos não morrer e nem correr perigos na avenida, é uma proposta interessante, vestir-se de colorido, ouvir música o tempo todo, encontros carnais, álcool de manhã, o desafio realmente está em não correr perigos.

Entramos no galpão e a luz desagradável já me deu vontade de ficar bêbada para conceder formosura ao evento. Eu tinha um outro pavor, para além de morrer, que era casar virgem – isso antes de me dar conta de que eu teria amantes, pelo menos um –, e o carnaval continha a proposta adequada pra evitar esse tipo de problema. A Camila ria e achava divertido o meu propósito, disfarçando a sua elevadíssima conduta, ela no máximo chegaria ao seu casamento com uns estraguinhos, isso era uma hipótese que me apavorava, às vezes imaginava deixá-la de lado e procurar uns amigos artistas, não sei, tinha a impressão de que artistas jamais foram virgens.

A Camila era um arraso naquele baile miserável, poderia escolher o menino que quisesse, mas levava a festa inteira a decidir, um beijo escondido, uma besteira à toa, depois falava disso por semanas, era quase um fetiche a mera hipótese de a mãe descobrir a ousadia, depois virava uma paranoia, a boca que foi beijada ardia e ela cismava que a mãe percebia, uma coloração de pecado, um tônus alterado, e então eu me cansava totalmente do assunto.

Eu queria descobrir a fórmula química dessa inata noção de autoridade, que não se explicava a partir de nenhum gesto ou ato daquela mãe, senão pelo empenho obstinado da Camila em obedecer. Queria saber se eu fosse mãe dela, se daí ela faria tudo do jeito que eu achasse certo.

Horas mais tarde, eu com os sapatos nas mãos e os pés empastados de confete molhado, um rapaz mais novo e mais baixo que eu pouco vestido numa improvisada fantasia de bebê me tirou para uma dança desajeitada enquanto me seduzia com sua imensa chupeta colorida pendurada no pescoço. Fingia que ia roçar o brinquedo na minha boca e eu ria deslavada, a cabeça pendendo para trás, a Camila se afastando um pouco num risinho cúmplice, e eu sabendo que aquele pequeno garoto tinha me escolhido em vez da Camila porque eu era o cálculo possível, ele ciente das suas próprias limitações, éramos esteticamente compatíveis e aquilo era a minha juventude.

Não lembro a minha roupa, pode ser que fosse um inseto fofo, uma joaninha. Na verdade eu estava vestida de noiva, um vestido branco barato que rodava bonito quando eu girava no baile, a noiva que tinha alguns minutos para perder a virgindade antes do altar.

Depois de ouvir pouquíssimo o meu próprio corpo naquela barulheira, levei o bebê pela mão até o vestiário dos fundos, mamãe eu quero mamar continuou tocando abafado depois da porta, tivemos dificuldade em tirar a fralda, nem ele contava com tudo isso, não tinha saído de casa pensando em tirar a fantasia, quanto mais tudo parecia desagradável e sujo mais eu ia em frente animadíssima com o que é decadente, o galpão era o cenário perfeito e o jovem afobado era o contrário da libido, tudo naquela esfregação de azulejo suado escapava do campo dos impulsos e sentidos, entrava para algo mais conceitual.

Não conseguimos fazer com que a lógica teórica fosse aplicável na prática, nenhuma das murchidões que perscrutei naquelas umidades se materializou em algo perto do que eu esperava, e com isso a moça que eu era não contava, tinha aprendido apenas que os rapazes estariam sempre ávidos por nós. Saí dali galopante cuspindo lantejoulas, a boca porca de lambidas desesperadas, eu não valia nem isso, não era essa a decadência que eu tinha buscado.

Reencontrei fácil a Camila rodopiando sozinha na pista esvaziada, a visão me lembrava a destreza dela criança numa quadra, tantos recreios. Lamentei que eu não conseguisse mentir pra ela, que se eu mentisse seria um caminho sem fim, estaríamos em mundos cindidos até que eu conseguisse desfazer a mentira e macular para sempre o nosso vínculo, então não pude chegar e dizer olha só Camila não caso mais virgem, na mesma animação que ela um dia disse a sua ousadia, não acredito em Deus, mas ainda assim pude contar sem floreios, gritando por causa das marchinhas estouradas na caixa, pude contar toda a minha lassidão, não senti nada, o corpo parecia morto, mas encostei em tudo, estive em todos os lugares daquele menino ignóbil que eu não sabia o nome, frisei que não sabia o nome porque tudo o que eu queria era horrorizá-la, queria que ela me condenasse, abominasse a mulher que eu começava a ser, e ao mesmo tempo procurasse em si uma fagulha desses caminhos, mas a Camila sempre foi tão boa e me abraçou, embriagadas, jovens. Ela articulou um consolo folião, as mãozinhas pra cima, no próximo carnaval ia dar certo, que eu fosse paciente.

Caminhamos para a minha casa desprovida de adultos, a intenção era nos sentirmos tão grandes, autônomas, mas arrastei pela calçada um cabedal de fragilidades, Camila solitária dentro da melancolia dela que nunca foi a mesma que a minha, e tudo bem, entramos no banho e a água preta que escorria dos nossos pés e o cheiro festivo de cigarro alheio que escorria dos cabelos sob o chuveiro, nada disso era a decadência que eu buscava, depois do banho ela disparou a falar muitíssimo, era o que ela fazia quando queria adiar o fim da noite, e eu morrendo de medo de me casar antes de conhecer o sexo, e de morrer antes de tudo isso.

Camila encheu copos de água para nós e deitou-se na minha cama, eu ao lado no colchão no chão, virou-se na minha direção e fez um carinho descompromissado na minha testa, nas pálpebras fechadas grudadinhas de rímel, nossas melancolias ficaram sintonizadas por um instante e ela lamentou a morte recente de uma professora nossa, professores não podem de forma alguma morrer, a morte de um professor escancara aos alunos a farsa que é a escola, todos um bando de mortais, não há nada de extraordinário naquele sábio conduzindo a massa, pode morrer a qualquer momento deixando dezenas de órfãos apavorados com a inutilidade de tanto conhecimento apagado de repente, e ela continuou o carinho no meu rosto e cabelo e eu senti que estava mesmo tudo bem, que eu podia suportar não saber o que ia acontecer na minha vida, o que ia ser de mim, desde que ela continuasse ali, que fôssemos sempre juntas.

**TRINTA**

Minha amiga Camila na sala de parto e eu na sala de espera com o Upa Lalá, pode ser que o parto da sua grande amiga mude sua vida quase como se fosse o seu parto, pelo menos até que o filho vá morar no México ou Novo México, os pais dela ainda na estrada vindo da cidade em que foram morar, eu já sentia o campo gravitacional se alterar quanto mais se aproximavam da Camila, no fundo somos cachorros e passamos a vida lutando para que as coisas simplesmente continuem como estão.

Quando a Rosa anda de um lado pro outro deste quarto ela parece esperar um parto, o meu renascimento numa iluminação súbita dentro da minha mente, devolvam a Camila, eu dizia na estrada segurando uma coleira vazia, a Rosa diz que olhou as etiquetas da minha roupa tão doméstica, mas a calça não tinha, e a blusa era de uma rede grande de departamentos em que ninguém saberia de mim, não tinha nenhum recado à caneta dizendo favor devolver esta velha na rua tal. A Rosa me levou num banco uma vez, entramos e saímos da porta giratória levantando suspeitas, ela queria saber se meu corpo apitava no detector de metais porque viu na televisão um caso tipo o meu em que a velha tinha pinos na perna e então abriram a pele e do pino extraíram dados de registro do fornecedor até chegarem ao hospital da cirurgia e ao nome dela, eu ri muito porque isso era ficção e se não era ficção era no mínimo nos Estados Unidos. Tomamos um sorvete na rua, ela pagou.

A Camila parecia que não terminava de parir, porque eu queria muito que o menino nascesse antes de os pais dela chegarem, antes que a sociedade me deixasse por último lá longe da fila da relevância naquela maternidáde. Antônio no serviço, no necrotério, porque ele estava ainda mais longe na fila da relevância daquele parto, então não teve folga. Eu tinha dado aula de manhã, então era o meio de uma tarde num dia de semana mais ou menos perto do Natal, eu comia um panetone com as mãos arrancando nacos, o Upa Lálá estava claramente com vontade mas não aceitava assim direto da minha mão, os barulhinhos de telefones de recepção, sapatos emborrachados, a Sessão da Tarde baixinha num canto e o celofane do meu panetone eram a única trilha sonora. Depois fiquei com massa e frutas secas embaixo das unhas.

Eu ensinaria esse menino a ler e escrever, toda vez ele chegaria à minha casa e procuraria um livro novo na estante colorida, e jamais daria pulos, nem subiria nos móveis, nem correria qualquer perigo, quando Camila comprasse para ele uma bicicleta eu ia mostrar como são mais divertidos os livros, ou ia ao menos instalar rodinhas e comprar um pequeno capacete, e ele passaria muito tempo na minha casa brincando com o Perdoai e o Ofendido. Depois eu conseguiria desconto para ele na escola, poderia dizer que era quase meu filho, e em dado momento ele alcançaria a minha turma e enquanto eu ensinava regência verbal ele me sorriria animadíssimo de ser o aluno mais próximo da professora.

A Rosa me deixa ir à biblioteca lá no centro escolher livros de vez em quando, no começo ela falou que eu tinha de focar na minha lembrança e não na história dos outros, mas o barato é que às vezes no meio de um livro eu lembro que já o tinha lido trinta e cinco anos atrás, e junto com essa lembrança volta com força numa golfada tudo o que havia na minha vida ao redor daquele livro, o parque em que eu lia num domingo, com quem, se minha mãe estava ou não estava morta, se a mãe da Camila estava ou não estava por perto, se havia ou não havia Antônio. Então calhou que é bom que eu leia e releia muitos livros, nossa própria história pode estar imbricada na metáfora de alguém, espero que a Rosa um dia escreva um livro sobre mim e alerte todos os neurologistas sobre essa técnica.

Quando a enfermeira do parto veio chamar era pra olhar o menino por trás de um vidro, a touquinha azul, já todo limpinho, Meu Deus que bebê feio, eu disse, e ri para o Upa Lalá que provavelmente pensava a mesma coisa mas me olhou chocadíssimo, depois não me deixou entrar no quarto para ver a Camila, esperei um montão até me liberarem.

Ou não terá sido isso. Não, os pais da Camila chegaram correndo da viagem, o carro parado às pressas no caríssimo – segundo a mãe dela – estacionamento da maternidade, e o poder daquela mãe era tal que ela nem sentou e já fomos todos chamados para ver o bebê pelo vidro, que bebê feio!, ela disse sem rir, incomodada mesmo, e o pai da Camila a cutucou com o cotovelo porque o Upa Lalá estava ouvindo e afinal convinha lembrar que era o pai da criança.

Quando pudemos entrar no quarto fiquei num canto, discreta, onde não incomodasse, a Camila inchada e emocionada anotava mentalmente as orientações da mãe sobre aleitamento e educação, tinha de aprender a deixar chorar, não pode acudir qualquer chorinho, e eu imaginando quantos chorinhos daquela Camila não tinham restado desassistidos até ela ficar assim tão desamparada e encantadora.

Antônio me buscou e me levou pra comer frango frito. Era quase Natal, a cidade inteira piscando, tinha chovido à tarde, a rua molhada e quente, na espera eu li um livro de contos que agora estava na bolsa sujo de panetone, um bebê morto no colo da mãe numa barca, ela nem se dava conta disso, é este livro aqui, Rosa, tenho certeza, já li mil vezes, e você? Tem este outro conto, é de carnaval, imperdível. É fato, esta técnica de reler os livros precisa chegar aos neurologistas. No fim comemos o frango frito, Antônio perguntou por educação sobre o nascimento, porque não estava verdadeiramente interessado, por isso eu preferi contar sobre o conto, a mãe segurando o bebê gelado e lívido, o milagre, o Natal.

O filho da Camila tinha nascido e isso me arrebatava de um inédito amor impossível, eu estava inteira preenchida daquele nascimento e insuportavelmente fora dele, minha cara cheia da gordura de um maldito frango frito, as mãos do Antônio escorrendo óleo e eu pensando se ele tinha lavado direito aquelas mãos de cadáver, como era possível que na noite do nascimento do filho da Camila eu estivesse numa lanchonete barata tentando manter a atenção do meu marido na história de um conto de Natal na barca sem conseguir dizer a ele que mal pude segurar o menino, na verdade não pude, tinha tantos parentes no quarto, a mãe dela uma hora até me tomou por uma das enfermeiras, depois se lembrou de mim, daí esqueceu meu nome, e então era isso, Antônio, quase terminei de ler o livro todo na sala de espera, este conto de Natal era tristíssimo.

Nos dias que se seguiram, ou terão sido meses, fui um discreto fantasma na casa da Camila, escapava depressa na hora que ia chegar o Upa Lalá, era importante que tivessem o espaço deles, constituíssem cada vez mais isso que se pode chamar de família. Começou a me apavorar o que eu percebia ali, a minha amiga segurando o seu bebê com a atenção e os braços e os peitos inteiros consumidos por ele e nos olhos um vazio imantado pelos olhinhos dele, e aos poucos notei que aquela maternidade era uma lenta construção de uma casa no deserto, muito quente de dia e gélida de noite, uma casa em que não se pode permanecer, a Camila ficando árida, arenosa, e a ponto de se desfazer no vento.

## TRINTA E UM

Aqui na frente do abrigo, quase na esquina, há um boteco com mesas de plástico, uma televisão de tubo minúscula pendurada num canto, sempre ligada em volume altíssimo, e os homens se sentam e jogam dominó ou reclamam, o cheiro de fritura e bebida barata deveria ser repulsivo, mas tenho muita vontade de me sentar ali. Há alguma familiaridade nessa decadência.

O barulho da televisão vez ou outra é abafado brevemente por um liquidificador de outros séculos, só quando alguém pede uma vitamina ou, mais comum, uma batida cheia de leite condensado e cachaça ou vodca. Quando é de abacaxi fico com vontade, piña colada.

Consigo ouvir e ver o boteco da esquina aqui da janela do quarto, é igualzinho ao lugar em que uma vez encontrei sem querer o Natalício, e não acreditei, eu comprava um cigarro pra minha amiga Camila e um chocolate pra mim, ela me esperava com os dois cachorros e o filhinho dela do outro lado da rua, ele não me viu, continuou falando com os amigos, eu não tinha imaginado que aquele homem tão gramaticalmente elegante e televisivamente tão cortês era capaz de se sentar numa cadeira de plástico e apoiar cotovelos numa mesa de boteco, depois desapoiar os cotovelos para verter uma cerveja aguada e bater em seguida com o copo ao mesmo tempo em que dispara uma risada concatenada com a dos demais homens, bem homens, que estão adorando a história dele, que é uma história que contém palavrões, nunca na minha vida eu tinha imaginado o Natalício dizendo palavrões, ele só falava gentilezas e regras de Português, as piadas costumavam ser anedotas linguísticas, fui saindo com o chocolate no bolso e o maço de cigarro apertado na mão.

Pode ser paradoxalmente delicioso descobrir que não conhecemos alguém íntimo, cheguei em casa ainda mais enlouquecida por aquele amante que agora sabia manejar palavrões e liderar uma mesa de bar barato. Tudo sem nenhum erro de português.

Se eu fosse agora a este boteco da esquina eu me sentaria nessas cadeiras pouco ergonômicas e os velhos das outras mesas nem me notariam, a televisão alta demais para ouvir o que conversavam e de toda forma não haveria o Natalício na sua camisa cáqui de mangas curtas e o cabelo alinhadíssimo narrando talvez o que um homem disse a outro nos bastidores do programa de televisão, ou festejando em amplos goles a nova Constituição do país, e não haveria alguém que, para brincar com ele, dissesse que anticonstitucionalissimamente é a palavra mais longa da língua portuguesa, e tampouco haveria o Natalício ali para provavelmente querer botar um reparo nessa observação, mas por ser um homem acima de tudo agradável apenas tomar mais um vasto gole da cerveja para não concordar nem discordar.

Então de nada adianta querer me sentar neste bar anódino. A Rosa falou que teve uma pista extraordinária sobre mim, mas não vai me contar ainda porque tem que amarrar umas pontas, palavras dela, não quer criar expectativas. Eu preferia saber qualquer novidade porque preciso voltar a dormir. A coisa mais difícil de se fazer sem passado é dormir, a não ser claro quando você é uma criança feliz, daí há pelo menos um imenso futuro que passa a noite sussurrando, dorme, dorme, há tempo suficiente para todo o resto. Agora eu fecho os olhos para dormir e em vez das angústias sobre o dia de amanhã me assomam planejamentos para o ano retrasado.

Minha mãe achou que eu já não conseguiria engravidar, o filho da minha amiga Camila já era uma criança alfabetizada, tinha idade para brigar no corredor do colégio – está vendo, Rosa, você sempre tem toda a razão, é possível haver duas Camilas na nossa vida ao mesmo tempo –, e o Antônio tomando o café pelando e dizendo Podemos ter um filho, àquela altura eu acostumadíssima com o meu silêncio de cozinha e ele instaurando esse barulho de dentro para fora, então era isso, eu deveria ter aprendido com a amiga Camila que a ideia de ter um filho é uma coisa que não termina, que vai esgarçando as bordas dos dias e das noites até que já nem conseguimos nos virar na cama porque não há bordas e o filho custa a completar quarenta anos e tornar-se o amigo que sonhamos e àquela altura nós duas não poderíamos sequer prever que aos quarenta o trabalhoso filho dela estaria no México ou Novo México.

Depois de muitas horas de parto eu só queria que o nascimento terminasse de acontecer, que finalizasse a minha exaustão e toda aquela dor, mas era tudo o contrário disso, começávamos juntas, minha filha e eu, uma lenta luta de sobrevivência e aceitação, eu não tinha olhado direito pra ela, toda empastada de mim, como era possível que eu não tivesse olhado, tinha sentido a barriguinha quente e a bochecha dura do choro, foram chamar as minhas visitas e enquanto isso me devolveram a bebê limpa e domesticada, tranquilizada dos choros todos, conformada com a vida que ganhou e que era só aquela, e as pessoas demoravam a chegar ao quarto, eu sozinha com a menina, a intensidade daquele instante e todas as coisas impactantes que eu gostaria de estar pensando para os fins da minha própria literatura mental e no entanto olhei direito para ela e Que bebê feio.

A natureza humana testa as mães enviando filhotes difíceis de amar, temos de ser grandiosas.

Tudo isso para descobrir que de fato o amor materno é uma experiência incomparável, o que não quer dizer que seja uma experiência cabível a qualquer um, dias e dias o bebê frágil demais nos meus braços trazendo todo aquele som ao silêncio da minha cozinha ia me torcendo por dentro num amor que talvez não fosse adequado pra mim, eu não era a pessoa certa para amar aquela filha, pra conter a explosão de amor eu tive de me ampliar e ocupar todos os espaços em volta dela, um imenso airbag armado em torno dos seus passinhos, todo insuflado e vazio por dentro.

Nos primeiros dias havia ainda o coto do cordão umbilical gelatinoso e amarelento e que se tudo desse certo sofreria o milagre da mumificação e cairia seco num dia qualquer, até lá eu tinha de encarar aquele naco de necrose a cada troca de fralda em meticulosos cotonetes com álcool e se eu falhasse nessa higienização do único pedaço já morto da minha filha sabe-se lá que inflamações subiriam por ela inteira, quando o bebê fazia força ou chorava o seu intestino parecia querer escapar por uma hérnia no umbigo e me diziam que era normal, o que apenas reforça que o ser humano é bastante absurdo e precisa de ajuda até mesmo para se livrar dos restos da mãe que ficam pegados no corpo.

Será que Rosa já pesquisou no sistema penitenciário, pode ser que eu seja na verdade uma fugitiva, e então é por isso que ela ainda não me contou, precisa amarrar umas pontas primeiro, então ela chegará aqui com a polícia pra me levar de volta presa. Rosa está neste momento descobrindo de que forma matei minha filha.

Eu tinha achado que fabricando uma neta eu forjaria na minha mãe uma avó, enternecida e solícita, e então nos olharíamos tão apaziguadas, eu sendo a fonte eficaz de toda a ternura, o bebê faria balbucios e aos poucos se tornaria aprazível ao olhar, mas minha mãe o segurava pragmática, aos sábados, enquanto pescava pela casa minúsculos assuntos incômodos, o limo no meu rejunte, ou, na mesma naturalidade, estou começando a morrer.

Minha mãe tinha então começado a morrer antes que eu tivesse conseguido transformá-la inteiramente em avó, tampouco eu era inteiramente mãe, nascimento é um gesto tão protelado, como é ilusório o plano da grávida: certo dia parir.

Minha mãe ia morrer muito mais cedo do que o previsto para uma mãe deixar sua filha, ainda que esteja previsto justamente isso, que as mães sempre morrem e não as filhas, e está aí também uma transformação curiosa que nos ocorre ao termos um filho, tornamo-nos automaticamente aquela que se espera que morra primeiro, minha mãe estava seguindo o fluxo correto, porém precoce. Minha filha e eu ficaríamos ainda mais desamparadas e o meu receio é que na verdade a sua partida não fizesse a menor diferença.

Havia as tardes absolutamente perfeitas e isso era quando todas as mulheres da minha vida estavam reunidas no meu quintal com os meus cachorros sendo integralmente parte de mim, as Camilas e minha mãe, tinha também o menino da Camila que ficava boa parte do tempo entediado, o pior do ser humano é o tédio, a marca mais profunda da mediocridade, como pode ser tão vazio um cérebro que não preencha totalmente o mísero tempo que temos de vida, mas quando os cachorros corriam e brincavam com ele o tédio passava um pouco e toda a atmosfera vespertina se iluminava desse simulacro de perfeição que era estarmos ali.

Havia leveza naquelas raras tardes mesmo quando minha mãe contava os recentes avanços da sua doença que eram na verdade atualizações sobre os caminhos da sua morte, ela achava um jeito de emplacar uma piada da qual ria genuinamente, a minha amiga Camila servia uns biscoitinhos amanteigados que eu morria de medo de serem sequilhos, e eram, mas havia sempre alguma umidade abaunilhada que era uma espécie de carinho na língua, eu mordia e sorria para ela.

Perguntei à minha mãe se ela sofria de não poder ver a neta crescer, perguntei porque sinceramente ela não parecia sofrer por coisa alguma, crescer é o que os bebês todos fazem, ela disse, depois de um silêncio de isqueiros falhando no vento, que era o tipo de silêncio que eu tinha quando Camila e minha mãe estavam juntas no quintal, agora é que a vida ia começar a ficar boa, minha mãe completou.

Esse era o grande problema da minha mãe, crer tão singelamente que os bebês todos crescem e pronto. Eu tive a sorte de crescer, porque para que isso ocorresse ela não tomou nenhum especial cuidado.

Quando minha mãe terminou de morrer a minha filha já tinha um ano, engatinhava pela casa junto com os cachorros, foram ambas para o mesmo jazigo que já não sei onde fica, o tampo rosa, Antônio voltou e guiou o fusca só pra me levar ao enterro, primeiro da minha mãe, depois da nossa filha que ele mal tinha visto, não ouvi a voz dele, nem ele ouvia a minha, o fusca colorido era uma afronta à ocasião.

O filho da Camila já tinha sete anos, se eu o encontrar agora, se ele tiver coragem de voltar do México ou

Novo México eu vou finalmente confrontar, agora que você é um homem inteiramente crescido, ninguém vai trancar você no castigo, fale o que aconteceu exatamente naquela tarde, você precisa dizer, seu homenzinho de merda.

Logo embaixo da torneira um balde imenso e cheio de água, de partida já não se sabe quem encheu o balde, mas isso pode mesmo ter sido a Camila que volta e meia cismava que as fraldas precisavam ficar de molho, ou os tapetes, qualquer coisa na minha casa que desagradava, os cheiros, como se na casa dela a faxina fosse impecável, então vamos supor que ela tenha enchido o balde para depois jogar sabão e panos, mas distraiu-se no meio com os procedimentos do cigarro, achar o maço, depois em outro cômodo o isqueiro, nos dias mais civilizados buscar algo que servisse de cinzeiro.

Nisso o bebê, que engatinhava em excesso com os cachorros, e o filho da Camila sentiam a minha grama, eu assava pães de queijo, tinha feito também no formato de cobrinha, o menino mesmo fez os compridos, a hipótese é de que a minha filha engatinhou até o imenso balde e ergueu-se nele pela alça, debruçou-se, tombou dentro, os pezinhos para cima.

Os pães de queijo queimavam a ponta dos meus dedos, além disso estavam um pouco grudados no fundo, então apanhei uma espátula e fui tirando um por um, enquanto minha filha morria. Cheguei ao jardim com a cestinha fumegante, apoiei sobre a mesa, primeiro vi o cigarro aceso e perguntei ao menino onde estava a Camila, eu me referia à Camila mãe dele, que estava, depois eu soube, fazendo xixi, no meio de um cigarro, sempre me enervou a desorganização fisiológica do corpo dela, e então o menino me apontou o bebê Camila, tombado para dentro do balde cheio.

Ele precisa voltar do México, ou Novo México, e então me explicar há quantos minutos ele tinha reparado nisso, a menina dentro do balde, quando saquei pelos pés o corpinho inflado de dentro da água o menino começou a gritar e a chorar imediatamente, então a pergunta é por que não gritou antes, como é que você seguiu com sua vida de menino inútil, como foi que dormiu naquela e em todas as outras noites, a primeira namorada, o primeiro carro, o diploma, tudo isso sabendo que já tinha sete anos quando olhava por uns instantes um bebê e não soube gritar quando ele tombou num balde.

Talvez ele tenha achado engraçado, as crianças nascem torpes, precisam de muita lapidação, vai ver ficou rindo em silêncio dos pezinhos do bebê para fora da água.

Não me lembro de ter visto Camila e o filho mais nenhuma vez desde o enterro. Pode ser que eu tenha matado ambos, ou um dos dois, pode ser que os corpos estejam na terra do meu quintal, o jabuti andando por cima, a Rosa me entenderia, ela entende de tudo.

**TRINTA E DOIS**

A Rosa hoje chegou para falar comigo e com mais três idosos, comigo ela passa muito mais tempo porque os outros três só precisam resolver burocracias do benefício assistencial, eu segundo ela sou uma novela, ainda não concluí se ela usa novela no bom ou no mau sentido. Ela chega com uma saia longuíssima que tem tantas cores que ficamos todos iluminados, a saia é uma cauda que arrasta atrás dela tudo que ela faz de impressionante e exaustivo e eu queria duas coisas, que ela pudesse descansar, e que ela fosse a minha filha.

Seríamos muito amigas, hein Rosa, se você fosse minha filha de quarenta anos, toda filha deveria ter sempre desde o começo até o fim quarenta anos. Não vou nem mostrar pra ela as notícias que andei lendo, se não ela fala que fico atrás de fatalidades, como se não fossem as fatalidades todas que ficam atrás de nós, estatisticamente muito mais atrás dela, não sei dos bairros que ela frequenta com a saia colorida majestosa, a saia cabedal dos superpoderes todos que se ela pudesse largava no chão e saía vivendo sem superpoder nenhum, mas ela não pode, a Rosa, não há vida para a Rosa sem os superpoderes, mas eu já disse que para as fatalidades as estatísticas não importam, não vivemos dentro da armadura das nossas probabilidades.

Semana passada mesmo, deu no jornal, um bebezinho caiu dentro de um balde cheio de água, ninguém viu. Morreu afogado onde ninguém esperava um afogamento, nossa própria dose de tragédia pode ser um litro de água.

Hoje está um alvoroço porque o congelador do abrigo amanheceu quebrado e os funcionários estão passando as coisas para a geladeira, em que já não cabe nada, então resolveram fazer algumas comidas aleatórias e servir combinações descabidas, eu até ajudei, fui buscar gelo para os isopores imundos, mas não gostam que eu vá muito longe, acham que vou ter outro apagão e de novo vou parar na estrada em andrajos dizendo cadê a minha Camila.

Quando a minha amiga Camila já morava comigo, coisa de uns dez anos atrás, nossa geladeira também amanheceu quente, é uma espécie de vômito de uma residência que já não suporta armazenamentos, nosso iogurte caseirinho todo revestido de uma penugem branca era o sinal de que tinham passado horas demais sem que notássemos as nossas comidas perdendo o gelo, o pior foram os congelados que depois de vinte horas boiando no gelo dos baldes estavam amolecidos e aguados necessitando de rápida intervenção.

A Camila sempre gostou dessas ocasiões em que o caos é tamanho que fica autorizada toda forma de criatividade, eu estava com vontade de chorar vendo os nossos sacos de peixes descongelados inflando de água, os bifes, polpas de frutas, feijão, canja, um frango inteiro, pensei em pegar na mão dela e partirmos dali, começar uma nova vida em qualquer lugar em que houvesse um congelador em ordem e nenhum animal cru descongelando em bacias e isopores com os pelos do Perdoai e do Ofendido boiando ou grudados nas laterais, era importante fazer as malas e reiniciarmos nossa história, os cachorros nos seguiriam pela rua, e quem sabe caminhássemos tanto que tudo fosse perdendo o sentido, eu na beira da estrada segurando a coleira vazia, devolvam a minha Camila.

Enquanto eu derretia na minha cozinha junto aos restos da nossa família, a Camila animada investigava simulacros de receitas mentais que envolvessem todo aquele amálgama de estoques, ria do absurdo que seriam nossas próximas refeições, antes que me desse conta eu já estava seguindo ordens, picando temperos, cebolas, abrindo embalagens encharcadas e tentando amar o conteúdo triste que despencava delas, espirrando limões sobre peixes murchos craqueladinhos de gelo, e como nos negamos a complementar tudo aquilo com qualquer detalhe que faltasse, a moqueca ficou sem coentro, o frango assado sem alecrim, também não tinha mostarda ou páprica para a marinada, demos um banho de cerveja no bicho, aplaudíamos ali o espetáculo do desperdício, quando vi já estava jogando pimenta sobre nacos de bife que ela grelhava na última boca do fogão ainda livre, cada vez mais estabanada na tentativa de agilidade porque claramente queria sentar e fumar um cigarro e quanto mais tempo passava sem fumar um cigarro mais coisinhas ia derrubando e pingando pelo chão, Perdoai tentava lamber, mas às vezes estava muito quente, então minutos depois vinha o Ofendido e tirava a sorte grande. Camila levou umas quentinhas pros vizinhos.

Pode ser que isso tenha acontecido na verdade muitos anos antes, ela ainda não tinha o filho, distraía-se na minha casa numa noite qualquer, e de repente estávamos envoltas no banquete improvisado, de toda forma éramos duas meninas rindo na cozinha o regozijo da nossa fartura num país sempre em ruínas.

Há essa questão deste país, especialista em culpas. De repente somos muito cúmplices, ainda que não se trabalhe no Instituto Médico Legal na década de setenta recebendo os corpos escamoteados, queimados de eletrodos, há sempre um momento em que este país borbulha desagradável no estômago e indispostos olhamos a janela irremediavelmente cúmplices de tudo isso e só há dois tipos de pessoas nessas circunstâncias, os que lutam e os que de alguma forma fogem, sou dos que fogem brutalmente, só luto até o fim pelo meu direito de fugir, às vezes só queremos tocar o nariz na cabeça do cachorro pra sentir o cheiro aconchegante de almofada e não lutar e muito menos morrer, nem mesmo se dedicar, e você quer gritar que tudo bem, você tem todo o direito de estocar o seu congelador e afagar os seus cachorros até aplacar a gastrite que é o seu país, mas é uma falácia, tudo isso cobra o seu preço, passam quarenta, cinquenta anos e fica a culpa.

Mesmo quando não se trabalha no Instituto Médico Legal ou quando são outros os corpos que aportam nos frigoríficos, outras as farsas, há sempre uma engrenagem barulhenta, mas é um ruído tão contínuo que ninguém escuta mais, um imenso motor do refrigerador do país, o refrigerador de um enorme necrotério que é esta nação e então você fecha a sua porta e abraça os seus cachorros e decide que você definitivamente não é o tipo de lutar, é o tipo de abraçar cachorros e escolher alimentos de baixo colesterol, exames anuais, e deveria estar tudo bem mas não, o país não deixa, e de repente os seus amigos já não sabem como amar você já que o seu marido trabalha no Instituto Médico Legal de um país como aquele da década de setenta, ou porque você se ocupa de preservar a própria vida como se a própria vida fosse grande coisa quando lá fora há tudo isso, ou pode ser que os seus amigos precisaram fugir ou morrer enquanto você fingia que era possível não saber de coisa nenhuma porque essa era a única saída, caramba, é uma maldita de uma vida só, como se pode doá-la assim por um país e seu congelador quebrado de corpos boiando nos baldes, eu não saberia fazer uma coisa dessas e eu apaguei, eu esqueci a minha vida inteira mas não esqueço isso, essa culpa, isso sou eu.

Se a Rosa pudesse, talvez se fechasse numa casa fresca com cachorros cheirando a almofadas e não ajudava mais país nenhum, nem guerreava sua luta pessoal por esse bando de velhos lascados, que inferno pertencer a tudo isso, você quer falar da sua vida e dos desafios naturais para mantê-la mas em volta há o incêndio que é sempre a sua nação, e até agora não arrumaram vaga para o idoso do grau III de dependência.

Então pode ser que fôssemos jovens quando minha geladeira se desfez e o Antônio no plantão do Instituto Médico Legal colhendo digitais chamuscadas enquanto ríamos do banquete e era para termos todo o direito de rirmos, os cachorros aconchegantes, a única vida que tínhamos e precisava ser maravilhosa. Ou pode ser que já fôssemos velhas e ainda assim a culpa por este país, como era possível um freezer tão repleto num país como aquele, ou este, e agora esse abrigo devastado de infiltrações e os idosos úmidos vendo o almoço degelar feioso nos baldes enquanto a Rosa investiga se a minha vida foi ou não foi maravilhosa e eu quero explicar quantos problemas eu tive quando na verdade a Rosa deve ter tido muitos mais e era melhor que eu simplesmente enterrasse a minha cabeça numa bandeira de culpas e deixasse de querer desesperadamente viver uma vida que é apenas a minha vidinha inútil, eu que tenho uma aposentadoria pingando fielmente em algum banco que não sei e estou aqui ocupando a cama de um velho miserável que talvez espere vaga deitado num lugar pior ou em lugar nenhum.

A Rosa termina as burocracias dos três idosos e vira-se majestosa na minha direção, vem caminhando no meio de toda a confusão de alimentos degelando e cozinheiros tentando ser criativos como a Camila gostaria de ser, mas ela sem o peso de licitações e orçamentos, um país em que ou se morre, ou se é infeliz, ou se é totalmente cúmplice e culpado, Rosa me abraça de olhos fechados e me funga feito eu fosse um cachorro aconchegante cheirando à almofada, e me ocorre que talvez eu tenha um cheiro fofo de velha.

A acumuladora olha os baldes com o olho brilhando de água, não sei quais coisas diante de toda essa perda ela precisa salvar, talvez isto seja uma cura.

Rosa diz que conseguiu finalmente a lista de funcionários do Instituto Médico Legal na década de setenta, aqui e nas cidades mais próximas há quatro Antônios, ela está animada, amanhã mesmo vai visitar o mais próximo dos Antônios com a minha foto, ela vai me tirar deste lugar, diz, e sorri tão encantada que me dói todo esse esforço, a comoção para me remover deste que na verdade é um lugar que eu não mereço, obrigada, Rosa.

## TRINTA E TRÊS

A generosidade de ter um filho talvez seja isso de produzir no mundo um ser cuja sobrevivência é mais importante do que a sua, e para quem a sua morte é a melhor das probabilidades, se absolutamente tudo der certo você vai morrer muito antes e esse ser está perfeitamente conformado e confortável com isso, consola-se na ideia de que vai demorar, mas chega um momento em que não vai demorar mais e então há algum sofrimento todo caramelado da naturalidade dessa perda.

Então minha mãe comunicou que ia começar a morrer e a minha cabeça apenas adiantou um planejamento, é esse o horror de pôr no mundo alguém que merece morrer depois de você. E que você mesma não suportará se as coisas se passarem invertidas.

O que esse filho vai seguir fazendo no mundo depois que não tiver mais a sua opinião.

É ridículo o tempo de vida que temos, quando se retira a lupa que mantemos diante das nossas cabeças se nota mais ainda que o nosso tempo quase não existe e ainda assim é tudo que temos e então talvez ter um filho seja mesmo essa tentativa de nos prolongarmos nele, o que é absolutamente vão porque a primeira coisa que o filho faz é ceifar-nos, e recomeçam de outro ponto, longe de onde nos terminaram.

Está no jornal de hoje, numa praia próxima daqui, um raio matou uma jovem que passeava pela areia, não era nem tempestade, entre todos os postes, árvores, prédios em que poderia cair o raio escolheu a filha de alguém, os jornais não são bons com essas notícias, não investigam a fundo, então temos de imaginar, os pais poderiam estar em casa discutindo severamente detalhes sobre o divórcio, a menina não suportando a briga foi espairecer na praia.

É tudo muito ridículo. Uma efemeridade humilhante, para onde vai tudo o que se leu, estudou, mais corretos talvez estejam os inúteis, que cabimento há nos detalhes da língua portuguesa, as frases, os sujeitos que circulei na lousa, a cada vez em que eu dizia Predicado morriam diversas pessoas em tantas circunstâncias, poderia morrer eu mesma segurando o giz e traumatizando os alunos que não podem saber que professores morrem, senão param de estudar.

Eu não sei, Rosa, o que você tem pra descobrir da minha vida, mas certamente se eu pudesse mesmo escolher eu queria um futuro, não um passado, é insuportável deixar de existir, e não há a menor possibilidade de que você me comunique que descobriu isto, que não vou morrer jamais.

Se a minha mãe ainda fosse viva quando eu tinha quarenta e cinco anos não seríamos amigas, nunca teríamos sido amigas. Talvez tivéssemos sido amigas se ela vivesse quando eu tinha quarenta e oito anos, pode ser que assim com quase setenta anos ela conseguisse me ver, deixasse de estar ocupada com as distrações do seu cérebro agitado, o seu cinismo, todo o desgosto, aquele pouco apreço à vida, à minha vida inclusive, eu a criança que ficava sozinha em casa desde muito nova como se não houvesse perigos, a criança que podia correr no jardim na tempestade chorando, como se não houvesse raios, pneumonias.

A mesma mãe que na estafa de ensinar uma vez olhou fundo nos meus olhos segurando firme o meu bracinho e disse que se eu não parasse de insolência ela ia me devolver pra Deus. Lembrei Jesus pendendo sobre os ombros das senhoras na procissão, Agora é a hora da nossa morte amém, mas fiquei uns instantes em silêncio preparando a próxima insolência e respondi que tudo bem, era maravilhoso ser devolvida pra Deus, e então ela inteira impacientada de mim ainda no uniforme da fábrica e mexendo sem vontade um feijão que ela requentava inteiro grudado no fundo começou a bradar que nunca, nunca era bom ser devolvido em lugar nenhum, que aquelas pessoas todas que a gente vê caminhando à margem da estrada enquanto passamos de fusca, pessoas que parecem não estar indo nem vindo de lugar nenhum, eu não sabia disso, mas aquelas pessoas tinham todas sido crianças devolvidas para Deus por suas mães e desde então vagavam ali sem ter aonde ir, as linhas tortas de Deus. Nunca, Aurora, nunca é bom ser devolvido onde quer que seja.

E eu achei que ela ia me bater embora não fosse um hábito, mas o tom da conversa combinava com pelo menos um tapa e talvez eu merecesse, mas ela voltou a mexer o feijão tentando desgrudar do fundo da panela, tão cansada que achei que fosse chorar.

Se a minha mãe estivesse viva neste instante eu poderia deitar no colo dela, uma velhinha inerme e afável que eu nunca conheci, ela já não fumaria, nem verteria cachaças, não por precaução, mas por falta de prazer, as coisas ardem, rasgam por dentro, os cachorros subiriam em nós devagar, doloridos, velhos também, e ela sorriria confusa dentro das próprias ternuras, faltariam mãos para fazer carinho em mim e nos dois cachorros ao mesmo tempo e esse excesso a arrebataria de amor.

Quando a minha mãe avisou que ia começar a morrer eu devia ter gritado, brandido os exames no ar. Eu devia ter feito um escândalo. O silêncio que eu deixei naquele quintal. O silêncio que eu deixei naquele quintal.

**TRINTA E QUATRO**

Encontrei Elvis dentro de uma caixa de papelão no canto da praça, sozinho, se ele tinha irmãos alguém já tinha levado, sobrou só o Elvis com um topete inusitado entre as orelhinhas, ele cabia numa só mão, e eu estava no primário, tinha uns sete anos.

Fui andando pra casa com o cachorro dentro da jaqueta, subi direto para o quarto, coloquei água pra ele dentro da tampa da minha saboneteira, eu não sabia como ia alimentar uma coisa que era assim tão menor que eu e me amava como se ama a mãe, montava pela minha saia e escalava os meus botões, o rabo sorrindo de gratidão, era um rabo muito maior do que o esperado para as suas dimensões diminutas e todo ele chacoalhava de devoção à minha existência.

Então era assim que eu deveria me sentir em relação à minha mãe, e algo estava indo miseravelmente errado entre nós. Era capaz que ela esperasse isso de mim, porque eu descobria ali naquela tarde com o Elvis que receber um amor assim era um júbilo incomparável, toda a minha mísera existência tinha se inflado de sentidos e propósitos.

Talvez esse fosse o problema, era isso o que faltava, eu precisava me jogar no colo da minha mãe sem aviso e beijar toda a cara dela e me embrenhar no seu pijama, e talvez ela começasse a rir e tudo se alinhasse brutalmente. Mas eu não conseguia.

Ela chegava da fábrica, abria a porta com os quadris, um cigarro na boca, as mãos ocupadas com algumas compras – garrafas – e me lançava um Oi enfastiado que talvez significasse Por favor se atire no meu colo e escale os meus ombros exaustos me chamando de mamãe, e no entanto um abismo, ninguém tinha me ensinado como transpor esse tragadouro entre nós duas, as outras crianças sabiam muito bem como fazer, ninguém tinha precisado ensinar, o Elvis obstinado nos caminhozitos do amor com as patinhas cavando a minha barriga, a Camila que eu só conheci uns anos depois amava a mãe talvez como se ama a um deus doméstico tirânico e indispensável, aquilo me irritava e atraía, que fascínio me brotava daqueles abraços calculados que ela dedicava à mãe sem hesitação e eram recebidos com prontidão de autômato, eu só precisava dominar o repertório desse gestual e reproduzir em casa, mas nem disso eu era capaz, nem minha mãe, duas atrofiadas.

Naquela tarde enquanto eu tentava memorizar com o Elvis como é que se amava, outra preocupação era como escondê-lo da minha mãe, que chegaria do serviço impávida e colossal despencando seus desgostos pela mesa e amontoando-os em latas na dispensa, totalmente despreparada para aquela lufada de fofura, ela rosnaria para mim até que o Elvis estivesse de volta numa caixa na praça.

O chato é que o Elvis deveria ter chegado um ano antes, porque agora todos já sabiam que não pode levar cachorro na escola, então eu não poderia me fazer de sonsa. No ano anterior a professora tinha deixado levar no último dia antes das férias uma coisa de muita estimação, e um menino sacou da bolsa o cachorrinho, foi a maior confusão, todas as crianças querendo pegar no bicho, puxar o rabo, assoprar as orelhas, a professora correndo atrás. Eu tinha levado a minha fronha preferida.

Eu acho mesmo que este abrigo deveria ter um ou dois cachorros, não sei como não aparecem alguns da rua mesmo, pedindo um fundo de arroz velho queimado na panela de alumínio, então eu e dois ou três idosos, dos mais lúcidos, deixaríamos entrar em princípio apenas para a refeição num canto do quintal, ali perto do jardim de tinta spray pintado no muro, e como quem não quer nada derrubaríamos uma toalha ou cobertor, e o animal como quem não quer nada deitaria em princípio brevemente e depois sucumbiria diante de toda a sua exaustão e quando algum funcionário se desse conta ele já estaria inteiro imbricado na nossa rotina, jogaríamos um limão para ele buscar, cada idoso o chamaria pelo nome de sua preferência, porque jamais teríamos um consenso, eu poderia chamar de Elvis, embora fora de moda hoje.

A Rosa é muito elegante e talvez não gostasse do cachorro com as pulgas roçando na sua saia longa colorida e majestosa, mas ela sentiria o alívio no ar, porque é isso que um cachorro dissemina, alívio. O rabo abanando, o sono entregue, um cachorro aqui deveria ser obrigatório, coisa de lei mesmo.

Pensando bem, esse seria o nome, Alívio. Que bonitinho, como ele chama? Alívio. Lívia? Não, Alívio.

Enquanto o Alívio não vem, recarregamos rotineiramente o bebedouro para beija-flores, foi feito com uma garrafinha plástica furada com prego quente, uma idosa artesã cortou tampinhas coloridas no formato de flores e colou, digo artesã porque é assim que ela se apresenta, artesã, não é uma conclusão minha apenas porque ela montou um bebedouro antiestético e ineficaz raramente visitado por algum pássaro que é de imediato apontado por algum observador atento, e nunca dá tempo de os demais idosos se posicionarem para ver.

É preciso pôr quatro partes de água para uma de açúcar, mas eles gostam de colocar muito menos açúcar por causa da diabetes, então nenhum pássaro vem.

O plano para o Elvis seria que ele crescesse no meu quarto, com breves banhos de sol no quintal antes de a minha mãe chegar. Enquanto eu estava na escola, ele ficaria fechado no meu quarto, e então eu precisaria correr pra recolher toda a sujeira antes de ela chegar, e ao mesmo tempo soltá-lo um pouco no quintal, minha vida seria bastante conturbada, mas esse era o meu papel de mãe, é o preço a pagar pela devoção, ser amada daquele jeito obviamente teria o seu custo.

Ela jamais poderia ver o cachorro porque eu como mãe já pensava mais nele do que na dor que eu mesma sentiria sem ele, e ser devolvido à caixa de papelão seria o seu pior destino, devolvido para Deus, para sempre qualquer amor humano que recebesse se revestiria de efemeridade, eu ainda não conhecia Camila então não sabia como é ruim ser devolvido em casa de madrugada após um carnaval em vez de dormir com a amiga, ainda assim já sabia que é muito ruim ser devolvido em algum lugar para dormir sozinho de madrugada, é ruim ser devolvido em qualquer lugar, quanto mais numa caixa na praça.

Tem um idoso aqui que já foi reinserido na família três vezes desde que estou aqui e sempre é devolvido, a Rosa é repleta dessas expressões, reinserção familiar, fortalecimento de vínculos, convívio comunitário preventivo, protetivo e proativo, mas se tudo der errado ela se vale da desfamiliarização, amo as palavras da Rosa e a Rosa e queria que ela fosse a mulher mais feliz do mundo, ainda assim esse idoso é devolvido, diz ele que é porque é bicha, mas deve ser porque bebe, então ele chega bêbado cantando que a bicha voltou, vai entrando arrastando a maleta que ele chama de valise, parece contente mas é muito ruim ser devolvido onde quer que seja.

A Rosa está entrando pelo nosso portão e não há nenhum Alívio para felicitá-la, o que é uma lástima, a saia longa avança desimpedida pelos entulhos e cadeiras quebradas do quintal na direção da mesinha em que ela apoia a prancheta, cadernos, pastas, todo o seu arsenal de heroísmo, e um por um vai checar com ela os seus benefícios, benefício é um nome estranho pra uma coisa que pessoas recebem de um país como contrapartida por tê-las tornado tão miseráveis, benefício.

Depois ela caminha exaurida e abafada até o meu quarto com sua garrafinha de água e conversamos aqui no meu silêncio porque não tenho benefícios, mas muitos privilégios. Entre um golinho e outro, conta que visitou o Antônio mais próximo daqui, que trabalhava no Instituto Médico Legal na década de setenta, um velho solitário numa casinha simples, mal quis recebê-la, bronco e desconfiado, olhou minha foto, nunca vi essa velha!, o que não quer dizer nada, não sei quando foi a última vez que vi Antônio, mas certamente eu era ainda muito jovem, quando a nossa filha morreu esse homem já não tinha contato conosco há uma década, um raio na cabeça, uma tragédia, quem iria imaginar, não era nem uma tempestade, chuvinha à toa, uma moça tão alegre. A Rosa pediu que ele mostrasse a certidão de casamento e ele riu e não mostrou, parecia na verdade já um tanto senil, então a Rosa entrevistou vizinhos até ter certeza de que ele estava bem cuidado, toda assistencial, mas não tem problema quanto à certidão de casamento porque ela já solicitou no cartório, tem uma taxa, eles dão um jeito, uns trâmites, pronto, nuns cinco dias está disponível, talvez conste Aurora e toda a sequência de sobrenomes que sou eu.

Rosa se despede e segue para o seu ponto de ônibus talvez perigoso e talvez com sequilhos e a garrafinha de água que ela recalibra no nosso filtro terroso, seria mais digno se fosse acompanhada pelo Alívio que pacientemente esperaria com ela o ônibus e voltaria para cá com a missão cumprida, um cão de guarda.

Na primeira noite o Elvis chorou tanto que eu tive certeza de que a minha mãe ia descobrir tudo e enfurecida com o barulho ia jogá-lo pela janela, ele queria ficar tão perto de mim que nada bastava, dormiu aninhado no meu pescoço com as patas de trás dentro do meu pijama, então era assim o amor, uma afobação. No dia seguinte era sábado, guardei o cachorro no armário depressa quando ela se aproximou, que cheiro é esse?

Falei que eu estava fedida, que rolei na grama e dormi sem banho, que fiz cocô na cama, nada foi suficiente, conheço essa tua cara, e saiu abrindo os armários, quando chegou no do canto deu com a criatura terna, resignada sobre os meus casacos, aninhada num cachecol, arderam os olhinhos com a luz que entrou mas ainda assim o bichinho olhou pra cima direto pra ela, o topete, as orelhinhas erguidas, minha mãe estagnada segurando ainda a porta do armário, o rabo dele começou um hesitante movimento, ainda sem saber se era hora de amar.

Na minha cara já corria um choro imediato e quieto. Minha mãe se abaixou devagar, um movimento tão alienígena que parecia que tinham deslocado o seu eixo e agora ela orbitava diferente, pegou o cachorro com as duas mãos embora uma só bastasse e sobrava, ele piscou os olhinhos e a sobrancelha estranha fez sacudir o topete, ela me olhou muito séria, voltou a olhar o filhote, aproximou-se para cheirá-lo e ele aproveitou pra lamber o nariz dela. Minha mãe começou a rir uma risada nervosa, alternava os olhos para mim e para o Elvis cada vez mais depressa, o peito retumbando, seria possível que ela precisasse muito de um cachorro e nem desconfiasse disso? O alívio.

Ela abraçou o bicho com o rosto, vamos limpar essa sujeira e arrumar um leite pra você, e saiu do quarto levando o meu cachorro, eu ainda podia ouvir a sua voz conversando com ele num tom estranhamente carinhoso, então era isso, era assim que eu me jogaria no colo da minha mãe e afagaria o seu cabelo e era assim que ela responderia Eu também te amo, o Elvis seria o nosso mensageiro, ele se encarregaria de todos os carinhos que não soubéssemos fazer.

**TRINTA E CINCO**

Rosa, as coisas estão muito claras hoje, a minha amiga Camila ia no banco traseiro, eu dirigia, depois que o Antônio foi embora eu precisei voltar a dirigir, talvez fosse o mesmo fusca colorido, ele deixou para nós duas, alguma coisa ele tinha de deixar, pagava em silêncio os eventuais impostos, taxas, o fusca ficou sendo nossa comunicação, enquanto ele mantivesse o carro mais ou menos regular eu saberia que ele existia e se lembrava de nós.

Não sei se o filho da Camila estava ali também, não, devia estar com o Upa Lalá, não, estava no acampamento da escola, nós pegamos o fusca e fomos à praia. Rosa, eu realmente preciso que você anote isso, agora estou inteira iluminada desta lembrança, deve ter sido o psicoterapeuta que você me arrumou. Ele basicamente escutou as mesmas coisas que você, porém sem anotar.

Minha mãe tinha morrido há coisa de um ano, minha Camila ia na cadeirinha de bebê, minha outra Camila ia no banco traseiro ao lado dela para distrair, cantar canções, íamos pela pista da direita.

A Camila me explicava uma receita que faríamos na praia com um peixe que ela já sabia certinho onde comprar, eu respondi que precisava comprar coentro e tomate, exatamente nesta palavra o boi surgiu, de lugar nenhum do meio da mata fechada do trecho sem acostamento, disparou fugido de qualquer susto, não fazia sequer sentido um boi ali, escapado de algum pasto, colocou-se tão diante do carro que eu só pude saber que era um boi depois, atravessou o vidro e massacrou o banco ao lado do meu, indo parar inteiro em cima das Camilas, eviscerado e implacável, a cabeça e o chifre direto sobre a minha amiga, todo o tronco e as ancas sobre a criança, o carro deu voltas em si mesmo marcando a estrada de pneus, com as patas do animal erguidas para fora, comigo nada de relevante se passou fora o sangue de todos e o conteúdo de diversos estômagos e intestinos arrebentados que vieram me tingir compondo o cheiro da morte escorrendo no meu cabelo.

Isso faz uns trinta anos, Rosa, pode procurar nos jornais, deve ter alguma coisa, ali sim eu saí em andrajos pela estrada gritando por Camila, era evidente que já não tinha Camila nenhuma, tentei remover o boi com a minha força, mas era impossível e inútil, começaram a parar os carros, as pessoas que chegavam perto de imediato gritavam ou choravam, desmaiei e despertei muito tempo depois e é isso, Rosa, vivi trinta anos tendo longos apagões, e então alguém me encontra perdida no quarteirão, vem um psicoterapeuta.

Alguma coisa na minha cara paralisa o olhar da Rosa numa seriedade que há tempos não provoco, ela mexe no seu celularzinho, vai pra fora com ele porque aqui dentro essa porcaria não pega, já faz muitas décadas, esse acidente não vai estar na internet, depois de nós três muitos outros atingiram animais na estrada, você terá de fazer melhor que isso, Rosa.

Agora eu pergunto qual o objetivo de tudo isso, para que lembrar uma vida assim, elas eram tudo que eu tinha, Rosa, no hospital me perguntaram para quem ligar, não tinha ninguém pra ligar, Rosa, teve de ser o marido da Camila, e eu não consegui, Rosa, não consegui contar pra ele, passei o telefone para a enfermeira, não lembro o nome nem a cara dela, ela disse que a filha e a esposa dele infelizmente faleceram, eu pressenti que ele estava confuso, intervim: a filha era minha. Essa frase impossível ficou ressoando, que tipo de frase é essa, A filha era minha, que porcaria é isso de estar vivo se a qualquer momento podemos ser emissores de uma frase assim, a filha era minha.

**TRINTA E SEIS**

O Elvis articulava todos os espaços da casa antes insulados, revolvia as nossas poeiras na sua liquidez de filhote preenchendo os cantos, pulava nos meus joelhos e depois escalava as pernas da minha mãe tentando entregar a ela o meu abraço, e assim seguíamos dizendo Eu te amo por meio das lambidas do cachorrinho que era uma novidade ainda não inteiramente assentada nas nossas emoções.

Ela chegava da fábrica mais animada, ouvia-se a voz dela antes mesmo de estar na sala, o rabo do cachorro parafusando o ar num desnorteio, os rituais de chegadas naquela casa eram tudo que ele tinha e poderia querer, e diante de todo aquele festejo eu sorria tímida, dava um embaraço vê-la assim entregue a algum tipo de felicidade.

Eu era também uma espécie de filhote, mas flanava sem encanto entre os meus afazeres enfadonhos, num súbito regozijo de ver o aporte de alegria que o meu cachorro podia trazer à minha mãe. Eu ainda não tinha a amiga Camila, nem o medo de derrubar uma boneca, ou falhar na sua educação, as coisas ainda eram mais ou menos simples, desde que se soubesse sobreviver sempre, havia uma coleção de perigos a que a minha mãe não estava atenta, mas como eu ficava sozinha em casa precisei me apropriar deles.

Então eu olhava de longe a caixa de energia parcamente encapada, os móveis que eu poderia escalar perto demais da janela do andar de cima, os botões do fogão que fariam vazar o gás, tudo isso eu olhava para concluir que minha mãe deveria me alertar que ficasse longe desses perigos, ela devia dizer Filha nunca entre dentro da geladeira, não entre em lugar algum, como eu já tinha ouvido dizer alguma outra mãe na porta da escola a respeito dos perigos do pique-esconde, aliás isso é um cuidado que os adultos devem ter ao alertar as crianças alheias sobre qualquer coisa, num alerta inédito podem tomar-nos a própria mãe, onde estava a cabeça da minha mãe que não lembrava de me dar aqueles alertas que outra mãe veio dar?

Eu tinha no quintal uma amplíssima bacia baixinha onde eu cabia inteira, um tipo de cuia de metal gigante, se me deitasse como um feto poderia dormir na bacia, deixava o negócio cheio de água com sabão e as bonecas de molho, lavava também algumas pedras do jardim que queria ter comigo no quarto, meus bibelôs, aproveitava a água com espuma para simular um mar revolto chacoalhando o barco que era uma leiteirinha enferrujada tripulada de heroicos feijões. Era também a minha piscina possível.

Senti o vento e a sombra das pernas dela atrás, pendurando as roupas, como se estivesse distraída ela me fez o primeiro alerta de que eu me recordo em toda a nossa história – salvo o de lavar sempre as mãos, mas isso era porque ela trabalhava numa fábrica de papéis higiênicos e então pensava o dia inteiro em sujeira: esvazia essa bacia depois porque o Elvis pode cair aí. Seguiu-se um silêncio, então ela sabia antever perigos, esse mecanismo existia dentro dela.

Olhei bem a bacia gigante, o cachorro diminuto nem conseguiria debruçar ali, quicava contente pelo quintal sem atentar para o nosso embate, mãe, não tem como ele cair aqui. Estava declarada uma guerra. Eu não poderia ser considerada justamente a fonte de algum perigo.

Estou te avisando, esvazia essa bacia depois. Ela entrou para casa com o monte de roupas, lençóis, o cachorro foi com ela, desbravando a rotina. Eu deveria ter percebido direito, assim como dizíamos Eu te amo pela língua do Elvis, era de mim que ela cuidava calculando os tropeços do cachorro, zelava tardiamente pelo bebê que eu fui e que deve ter engatinhado livremente no quintal desvigiado.

A bacia ficou cheia, naquela e outras tardes, e até com espuma. Sempre que ela via, antes de dormir esvaziava toda a minha água deixando espalhadas pelo quintal as minhas bonecas encardidas, duras de sabão. Quanto mais ela se lembrava de abaixar e doer as costas no esforço de tombar a aguaceira pesada, mais me dava vontade de chorar.

Num sábado chegamos da venda, ela ia fazer um bolo para fora, precisava de uns corantes especiais, também buscamos frango pronto e uma ração de filhotes. Elvis tinha de alguma forma escalado e tombado para dentro da bacia, pode ter sido um salto meio cambalhota no fim de uma corrida, nadou o quanto pôde, as patinhas arranhando as bordas escorregadias, fui eu que o achei boiando, tentei depressa esvaziá-lo do afogamento, secá-lo, forjar qualquer outro acidente, mas ela foi chegando de pé por trás, correu para o quarto e trancou-se, não fez o bolo da encomenda, nunca mais aceitou que eu pegasse outro cachorro, não soube amar direito o Perdoai e o Ofendido, pegou um deles no colo trinta anos depois, vou começar a morrer, e eu não disse nada.

**TRINTA E SETE**

Há uma notícia da década de oitenta envolvendo um fusca e um animal na estrada, uma das vítimas se chamava Camila, o nome da criança não constou na matéria, a Rosa lançou essa informação e foi atender outras pessoas, de modo que me instalei de novo no computador da secretaria onde antes tinha visitado cemitérios online e descobri por acaso listas e mais listas dos mortos que o Instituto Médico Legal enviou para os cemitérios públicos nos últimos cinco ou seis anos, só no começo da lista não tínhamos nem deixado o primeiro semestre de um ano qualquer e já eram tantos os indigentes enterrados nesta cidade, afundamento encefálico, objeto perfurocontundente, perfurocortante, alguns tantos com um ou até dois sobrenomes foram mortos a tiros – projéteis – no próprio bairro, outros só mesmo a palavra DESCONHECIDO, não se chega sequer no mês seguinte de tantos os óbitos, a impressão que temos diante da lista dos nossos mortos é que estamos caminhando sobre pilhas deles, DESCONHECIDOS, se eu tivesse morrido na beira da estrada confusa gritando Cadê a Camila a descrição do meu corpo estaria nesta lista, DESCONHECIDA, como é simples morrermos, concretizados numa lista de mortos, quantos mortos esta nação despacha todos os dias, dão-nos uma única certeza, que é nossa morte, e ainda assim nos deixam sem nenhum detalhe, amontoam-nos em missas ou qualquer sorte de ritual desesperado, entoamos coros, Agora e na hora de nossa morte amém, que hora é essa, a da nossa morte, não custa avisarem quando será, deixam-nos aqui fazendo planos à toa, é sempre a hora da nossa morte.

Rosa põe as mãos no meu ombro doído, mira por cima de mim a lista e diz que isso não tem nada a ver, e não tem mesmo, são apenas mortos, Rosa, vê-los assim empilhados em nomes ou falta de nomes é uma espécie mais chocante de cemitério. Ela repete que uma Camila e uma criança morreram num acidente num fusca trinta e oito anos atrás, o animal atravessou o vidro, ela ainda não conseguiu encontrar o nome da criança nem da motorista sobrevivente, que ficou em estado de choque, usou essa expressão, como é que você me comunica uma coisa dessas desse jeito, Rosa?

Ela desconcertada, afinal, fui eu mesma que relatei esse acidente, ela só está, veja bem, calma, Aurora, tudo isso ainda é nebuloso. Como é que eu pude cansar tanto esta mulher, a Rosa, a tal ponto que ela deixe de perceber que uma coisa sou eu falar que a minha filha morreu, outra coisa é ela vir me contar que a minha filha morreu.

**TRINTA E OITO**

Rosa veio correndo hoje, um dia fora da escala, ninguém a esperava, nem mesmo eu que a espero tanto, traz um envelope na mão, deve ser a certidão de casamento do Antônio, que é também a minha, eu suponho, o meu nome inteiro.

Embora ela perceba tantas coisas, não parece notar que pode ser até difícil aos trinta e poucos anos a mulher decidir se quer ter um filho. O difícil mesmo, porém, é ter setenta e cinco e não conseguir decidir se deseja ter tido um filho.

**TRINTA E NOVE**

Aurora Almeida Alves, junto com meu cacofônico sobrenome outras peças da minha vida despencam na mesinha em frente sem que eu tenha a agilidade de ajeitar tudo, minha amiga Camila também era Almeida, brincávamos que éramos casadas, minha mãe dizia que o meu pai só serviu para me deixar para trás com esse amontoado de As, na verdade Aus, já que os sobrenomes iam ter assim a questão dos fonemas repetidos era bom logo de cara acrescentar mais um, Aurora Almeida Alves, de todos os motivos para que eu me chamasse Aurora levei o mais tolo.

A Rosa está suada do calor que faz aqui, e lá fora, e nos transportes públicos todos que ela deve utilizar muitíssimo, mas não para de sorrir mostrando a certidão, minha separação e meu divórcio averbadíssimos décadas atrás, o que só pode significar que tivemos mesmo a minha filha e ele não suportou, como seria previsível, ficaria muito bem eu dizer que me divorciei porque não suportei o laço com um funcionário do Instituto Médico Legal, de todos os funcionalismos e burocracias corrompidas da época ele tinha de estar logo nessa, ia ficar bonitíssimo eu dizer que foi por isso, mas por todos os ângulos que se olhe aquele divórcio foi apenas um abandono, um abandono qualquer.

Agora não entendo o sorriso triunfante da Rosa se daqui em diante tudo que ela averiguar vai ser um novo enterro das minhas Camilas.

**QUARENTA**

Hoje aqui no abrigo estão umas adolescentes voluntárias mais ou menos ricas, de uniforme escolar, o voluntariado faz parte de uma das matérias, eu sei como funciona, já dei aula em escola assim, os alunos reclamam muito, ou então se inflam no regozijo de serem tão importantes e voluntários enquanto selecionam as entidades que podem recebê-los e debatem se não é melhor um lugar mais perto, fora de comunidades, o que eu compreendo perfeitamente, este país insiste que temos de arriscar a nossa própria vida, parece que esquece que tudo que temos é essa miséria de própria vida.

Então como este abrigo está assim até que bem localizado, podemos supor que essas meninas são do time que não deseja arriscar a própria vida, gosto de olhar para elas, não são bonitas nem feias, eu era assim também esteticamente apagada, essas são as que mais dão certo. Entraram tímidas, logo se deram conta de que não possuem nada a oferecer num abrigo de idosos pobres despojados acima de tudo das famílias, enquanto elas estão aqui resplandecendo sua saúde e lastro familiar, elas têm cheiro de lastro familiar.

Tentam conversas minúsculas com os idosos de jardim, aqui não temos propriamente um jardim mas temos os idosos de jardim, quase fixam raízes na sombra feia que fazem os postes e fios da calçada, o olhar pastoso na direção do portão como se alguém fosse chegar, e hoje chegaram as voluntárias.

As meninas estão constrangidas sobretudo porque percebem que estão presenteando idosos desconhecidos apenas com a graça da sua presença, e alguém que oferece um regalo desses precisa estar inteiro enfeitado e preenchido de si, e elas não estão, são melhores que isso, ensaiaram alguma coisa, mas agora parece que não faz sentido, não são cantoras, a mais alta delas transpira muito e pergunta ao funcionário se algum morador gostaria de aprender algo, se forem analfabetos elas podem ensinar a escrever, a ler, a entoar canções em inglês, as ideias já saem logo pegajosas de silêncio e despropósito, logo se vê que deveriam ter escolhido um abrigo infantil, o que encontram aqui são crianças desgastadas e sem futuro.

Antes de me aposentar dei muita aula em colégio de pessoas mais ou menos ricas e mais ou menos interessantes, era uma escola boa, e as meninas me olhavam com condescendência, plenas da certeza de que eu gostaria de ser imediatamente qualquer uma delas, voltar dezenas de anos e me tornar firme no short do uniforme, cadernos com cheiro de chiclete e fotos de homens estúpidos, e é evidente que eu gostaria, enfrentaria de novo toda a minha vida e ainda mais a delas que vai ser maravilhosa e cheia de familiares esclarecidos e amorosos, então cada vez que eu as repreendia pela conversa no meio das minhas frases e conjugações era isso que eu dizia, fiquem quietas um minuto por mim, não é por vocês, vocês têm muito tempo, fiquem quietas por mim, então com pena as alunas me davam um minuto da atribulada atenção adolescente enquanto curtiam a vontade que eu possivelmente tinha de sê-las, e depois do sinal amargavam isso que é estar na melhor época de toda a sua vida e ainda assim não ser feliz.

Nessa idade Camila e eu andávamos pelo bairro depois da aula, não pensávamos em visitar abrigos públicos nem derrubar generais, talvez pensássemos também em causar inveja à professora, queríamos ler uns livros e comer doces, e eu especificamente queria não me casar virgem, uma das coisas mais estranhas de ser uma velha é olhar o jovem e não encontrar quase nenhuma semelhança com o jovem que você foi, se eu tivesse de me tornar essas meninas agora eu nem saberia como conversar com as minhas amigas e pode ser que seja isso que deixa essa sensação injusta de beira da vida, eu não estou na beira da vida, elas que estão, incautas e frágeis.

Numa dessas andanças com a Camila um idoso de repente abriu a porta de casa bem no instante em que subíamos a rua, eu tomei um susto, parecia que ele estava ali o tempo todo esperando a nossa passagem apenas para abrir a porta. Ele estendeu um bolo em nossa direção, sorria afetuosíssimo, chamou com as mãos, encantador, e fomos indo para dentro da sala dele pensando ambas que caminhávamos para a morte e que no entanto era impossível agir de qualquer outra forma. Ele mostrou que tinha três bolos, e não poderia ficar com tudo aquilo, fazia questão que levássemos um, éramos subitamente netas numa tarde quente, o sol da janela iluminava misticamente os bolos e a névoa de pó que flutuava na sala, pegamos o bolo respondendo muito pouco, tímidas, apavoradas, a Camila conseguiu sorrir e agradecer bem mais do que eu, ela sempre conseguia.

Uma das voluntárias tenta falar com um dos idosos de jardim que quase não escuta e agrava o constrangimento geral. Entregam brindes, inclusive para a acumuladora que se agarra ao bibelô de plástico e me olha buscando cumplicidade. Comigo não tentam nada porque a minha cara é inteira o avesso de receptiva, o que não é intencional, elas deveriam vir conversar comigo e me ensinar a escrever enquanto eu digo que minha filha morreu e eu não me lembro onde deixei minha casa.

Com o súbito bolo nos braços mudamos o rumo, em vez de irmos até a casa dela fomos até a minha que era mais perto, também porque o bolo do velho estranho causaria alguma polêmica entre os adultos da Camila. O prato de isopor sob o bolo fazia os ruídos de isopor a cada passo nas ladeiras enquanto debatíamos o que tinha sido isso, o que era esse senhor na nossa vida. Se ele fosse Deus, qual seria o resultado de uma mordida no bolo, e de mordida nenhuma? Eu convencida de que estava envenenado, ela já tinha concordado em jogar fora, mas os quarteirões passavam e ela não jogava, depois me convenceu de que deixar num lixo poderia matar algum morador de rua, e então era isso, tínhamos uma bomba de Deus nas mãos, e cada vez mais vontade de comê-la.

Não consigo imaginar essas voluntárias com um bolo nas mãos, inviabilizados de repente os projetos para a tarde vazia. O velho que nos presenteou, se não era Deus, está hoje certamente mortíssimo e esta é a barbaridade da vida.

Pousamos o objeto bolo na mesa da minha sala que também recebia um facho de sol místico, a cobertura brilhava, era uma farta camada de açúcar colorido ligeiramente gelatinoso, cintilante, nós duas fedíamos um pouco, o suor da caminhada e da escola, tomamos banho enquanto o bolo esperava nossa decisão.

Limpas tínhamos mais fome. Num impulso voraz decidimos que ninguém envenenaria uma cobertura, a cobertura escandalosa é aquilo que usam para cobrir e disfarçar com açúcar e calda de laranja o gosto e a feiura do veneno da massa, só podia ser isso, e às colheradas devoramos depressa toda a cobertura, ao que seguiu uma série de envenenamentos psicológicos e revertérios de glicose.

Curiosamente as voluntárias sacam de uma sacola um bolo caseiro, os idosos assomam à mesa e saem com fatias migalhentas num guardanapinho. Pego meu bolo também, mais ou menos de fubá.

Hoje a Rosa não vem, foi bom que eu tive alguma distração. De toda forma depois não durmo à noite. Camila e eu nunca soubemos se o velho tinha envenenado a massa do bolo, jogamos tudo fora depois de comer a cobertura.

## QUARENTA E UM

Desde que eu cheguei aqui botaram um relógio de parede no meu quarto, desses velhos de cozinha com marrecos desbotados, detesto o barulho do ponteiro dos segundos, mas o médico escreveu que era bom que eu me mantivesse o mais situada possível, colocaram também um calendário.

Quando a Rosa veio pendurar o reloginho eu quis brincar que, quando dão a você um relógio, não dão somente um relógio, mas fiquei quieta pensando que uma alusão aleatória a um livro que nem é deste país ia soar pedante, talvez eu tivesse de explicar: um inferno enfeitado. Quanto mais eu explicasse mais pernóstica eu seria, e quando ela desceu da cadeira satisfeita com a simetria do relógio no prego eu lembrei que sou professora de Português, então seria até natural que eu fosse um personagem desses que cita um intelectual argentino quando a assistente social do abrigo público de idosos pendura um relógio na parede, O presente é você, é a você que oferecem para o relógio. Mesmo ornando tão bem com a professora que eu sou, fiquei quieta, porque sou ponderada e parcimoniosa nas minhas afetações. Então a Rosa veio até mim e ofereceu sequilhos.

Eu sei o tempo todo perfeitamente que horas são e em que dia estamos, o que já me coloca entre as velhas mais lúcidas deste local, se as voluntárias que dia desses estiveram no pátio viessem falar comigo uma delas descobriria o amor pela língua portuguesa e decidiria ser escritora, e então faria um relato da minha vida, talvez em primeira pessoa pelo exercício de alteridade, e como ela não tem nem quinze anos buscaria palavras idosas para soar como eu, como a personagem que eu sou, Patavinas.

É enfim carnaval e as marchinhas estão repetindo num volume bem baixo no rádio, a faxineira folgou ontem e hoje, talvez esteja pulando, mais provável pegou outro bico de faxina, ou está fazendo sequilhos pra vender nos bloquinhos, é uma opção, não acho que combina, mas sequilhos francamente não combinam com nada.

A Rosa também não vem, vem um enfermeiro descontente, notei que o carnaval no abrigo de idosos é isto, a ausência dos que aprendemos a amar, e então nos cabe torcer que estejam se divertindo. Ganhamos serpentina, mas a sugestão é que quem jogar depois passe uma vassoura, a acumuladora e eu guardamos a nossa para outra ocasião. Não fique triste que esse mundo é todo teu tu és muito mais bonita que a camélia que morreu.

Minha mãe não era fã de carnaval, mas não é assim que detestasse lazer, às vezes me levava na matinê de domingo no circo, o chato é que tinha o segundo ato que era sempre uma comédia ou melodrama e eu cochilava no ombro dela. Talvez isso fosse um carinho.

Ela não gostava do carnaval, mas não devia ser pela bagunça, eu concluí ainda meio criança, porque nunca esqueci uma noite em maio de 1959, era sexta-feira, eu sei porque ela tinha chegado cantando da fábrica e ela cantarolava só quando não ia trabalhar no sábado, tinha uma porção de bolos pra fazer, mas isso era tranquilo, chegou fumando o charuto masculino portando tantas sacolas de farinha e açúcar que nem tinha mão pra abrir a porta, encheu um copo e largou-se na poltrona, Camila e eu paramos nosso jogo da memória que estava mesmo sem graça, ficamos as duas olhando pra ela fumando na poltrona puída à meia-luz do abajur com o copo na mão, estava bonita, eu não tinha reparado como minha mãe podia ser bonita, puxei um assunto e ela me silenciou para ouvir o rádio, eram notícias sobre este país.

O locutor extasiado narrava que a greve dos marítimos de Niterói evoluiu para uma coisa ainda sem nome, a população como sempre e agora mais do que nunca aglomerada nas barcas precárias, houve alguma truculência das Forças Armadas despreparadíssimas para a logística do transporte público, em reação passageiros quebraram uma vidraça da barca, e então houve tiros para o ar, ao que seguiu uma espécie de motim inacreditável. A cara da minha mãe muito tensa, em nós três começou a crescer um formigamento típico de quem está vivendo uma data histórica, é isso a história quando se forma diante dos nossos ouvidos e enquanto estamos vivos, o povo de repente insuflado marchou até a casa dos donos dessa imensa e ineficiente empresa de barcas até ocupar o palacete, o olho da minha mãe arregalado, o charuto queimando devagar sozinho nos dedos, morreram algumas pessoas, mais de cem feridos, o povo dentro da casa fez o que se pode chamar de carnaval, depois de arremessarem pelas janelas uma legião de móveis elegantes e picharem protestos nas paredes, os homens surgiram trajando as roupas das esposas e filhas da companhia de transporte, joias, vestidos, sapatos, roupas íntimas mais sensuais do que seriam futuramente as da Camila esgarçadas em corpulentos operários urrando nas varandas, seguiu-se um desfile de sombrinhas, maiôs e toucas, em meio às chamas dos colchões incendiados. O rádio entrou para os anúncios, minha mãe abaixou o volume e continuou com o olhar estupefato no ar, nós duas muito tensas sem saber se todos os revoltosos de Niterói ou mesmo as Forças Armadas, que só conhecíamos dos trajes do Dia da Pátria que mais pareciam fantasias organizadas, iam atravessar estradas e montanhas até tomar a nossa casa e os nossos vestidos, e de repente minha mãe explodiu na maior gargalhada, longa, espasmódica, parando apenas para puxar um pouco do charuto e um gole da cachaça, fomos nos juntando a ela, dançamos, isso então era um carnaval feliz.

Se a minha mãe estivesse viva, teria a carcaça amainada de velhice, eu conseguiria um abraço tenro. É mentira que ela nunca me alertou de perigos, lembrei que ela jamais me deixava andar com as mãos no bolso, Se você tropeça não tem tempo de apoiar as mãos.

Começa a anoitecer e duas idosas mais a acumuladora estão varrendo as serpentinas. No mais, este lugar começa a ser tudo que tenho, estou inteira entregue de presente ao relógio.

**QUARENTA E DOIS**

A Camila que morreu junto a uma criança perto daqui quando atropelaram um boi na estrada não era a minha amiga Camila, o bebê morto não tinha o nome da minha filha, a motorista sobrevivente matou-se anos depois, eu ainda estou aqui.

Com o meu nome Aurora Almeida Alves a Rosa chegou depois ao nome da minha filha Camila, que de fato nasceu e na súbita certeza desse parto fico hormonal, extasiada do amor pela minha filha que tem uma certidão de nascimento e não tem uma de óbito, esta que é o carimbo final da nossa existência nesta nação, minha filha que não demora a ter quarenta anos, a melhor idade que uma filha pode ter, e eu consigo finalmente isto que é parir uma mulher que vai ter quarenta anos.

Então foi isso, munida do nome da minha filha a Rosa conseguiu com a ajuda de alguém da Justiça o emprego atual da minha filha, que é um desses cargos sem nomes nem definições precisas em empresas despersonalizadas, um trabalho sem tema, deve dar algum dinheiro, mais ou menos gerente de um mais ou menos subsetor de alguma coisa mais ou menos importante e abstrata, e a Rosa ficou telefonando, não aqui, num outro lugar em que ela trabalha, naquele lugar em que há muito mais o que fazer do que cuidar de mim e ainda assim ela tecla diversos números até chegar na voz da minha filha Camila, e no meio disso tudo ela por óbvio já tinha conseguido também o meu endereço, mas ainda passou uns dias atrás da minha filha, o que é sinal de que a minha casa era o que menos importava, ou pode ser que tenha estado lá e a casa não tenha qualquer informação sobre mim fora talvez os esqueletos do Perdoai e do Ofendido em posição de fome.

## QUARENTA E TRÊS

Quando a minha amiga Camila estava grávida do filho dela que foi morar no México ou Novo México, eu pensei se deveria engravidar junto, a gravidez pode ser um tipo de relógio que se dá a alguém e que nunca é apenas um relógio, é uma mulher que estamos oferecendo de presente ao relógio, como talvez pudesse dizer o mesmo autor que não é deste país e falava de dar de presente ao relógio, e é preciso estar muito atenta para não a perder no fluxo dessas engrenagens, se eu me desse de presente ao relógio ao mesmo tempo estaríamos ainda mais conectadas de rotinas, as rotinas dos anos.

Mas eu não fiz isso, pelas contas, não, demorei ainda muito, eu não sei, filha, não era só o Antônio, claro que não era, eu não estava preparada para a possibilidade, para a eventualidade da sua morte, não sei que coragem me tomou anos depois, talvez um rápido transe, um lapso que acomete as mulheres e de repente decidem que podem trazer para a própria vida o risco mais absoluto, que é um filho.

**QUARENTA E QUATRO**

A Rosa demora muitíssimo a falar, eu finjo que quero que ela diga tudo de uma vez, mostro-me afoita, não quero, a cara dela já é um retrato lívido e frustrado do meu vazio, então é isso, minha amiga Camila matou a minha filha, foi um acidente, ela se matou depois. Minha filha Camila matou a minha amiga, e está presa. Minha filha Camila matou o filho da minha amiga Camila.

Pois calhou que a minha filha Camila não me vê há quinze anos, proibiu que me forneçam o seu endereço, o nome do local onde exerce seu emprego despersonalizado, disse para a Rosa que a Rosa não tinha condição de entender, logo a Rosa, que é uma mulher que entende muito mais que Camila e eu juntas, exigiu que não ligasse nunca mais, falou alguma coisa ligada aos anos de esforços e rupturas para chegar aonde ela estava, que se ela não tivesse sumido estaria presa dentro da minha casa, talvez tenha usado a palavra sobrevivência, sobreviver a mim, mas é normal, é o que fazemos, sobreviver à nossa mãe, não é isso, Rosa, não fique assim sentida, pelo menos ela está viva, mesmo que não possa ainda reconhecer nisso nenhum mérito meu.

## QUARENTA E CINCO

E na insistência a minha filha lembrou o nome da minha amiga Camila, de início não se lembrou, mas puxou pela infância, veio um possível sobrenome e um emprego antigo, a amiga que rendeu o próprio nome dela, Camila, a Rosa exausta de escarafunchar a minha vida em mais e mais telefonemas, se eu soubesse tinha dito que não se apressasse assim, cuidasse primeiro de todos os outros, eu posso ir ficando por aqui, depois nós vemos tudo isso com calma.

De início o telefonema foi confusíssimo, aos poucos chegaram aos nomes, a minha amiga Camila ficou chocada com o problema da memória, compadeceu-se muito de mim, usou expressões benevolentes e idosas, minha amiga ficou idosa e gentil, não sabe de mim há uns trinta anos, trocamos cartões de Natal no final da década de oitenta, sabe como são essas coisas, o marido fechou a empresa familiar e arranjou um emprego bom numa cidade mais ou menos longe, não, não tão longe assim, de fato, mas as ocupações diárias, o menino na escola, a luta pra recomeçar os trabalhos dela nesse outro lugar, a Rosa já não ouvia direito, projetando como me diria tudo isso, não houve uma discussão, nunca, nenhuma briga, a Camila riu ao telefone, melíflua, nos primeiros anos fazíamos ligações longas, Camila está quase contente de se lembrar de repente de toda essa história perdida, depois a Rosa sabe como essas coisas são, os tecidos vão se esfiapando, mas veja bem, ela pode ver se não consegue me encontrar um dia, o complicado é que o joelho não aguenta muito, então a viagem é difícil, mas dá-se um jeito, talvez seja um pouco estranho, mas se mesmo com o problema da memória sobraram tantas coisas da nossa juventude, é coisa de se pensar, novas risadinhas, o marido dela não anda muito bem de saúde, somos todos velhos, é notório que o Upa Lálá não ia gostar da ideia desse reencontro despropositado, ele toma muitos remédios e se ela passar dois dias fora ele vai se atrapalhar. Então Camila respira fundo no telefone, ri de novo, Era uma peça essa Aurora!

Sento finalmente no boteco da esquina em frente ao abrigo onde jogam dominó com a televisão ligada altíssima, apoio os cotovelos na mesa plástica, há um spray de garoa gelando as varizes da minha canela. Eles vêm colocar uma toalha de papel que imediatamente ganha grumos molhados, não sei o que pedir, nem sei o que se pede num boteco assim, a Camila compraria cigarros, eu normalmente um bombom murcho. Pergunto se tem cachaça mineira, com a mesma insegurança com que eu faria uma citação literária sobre presentear alguém com um relógio, mas tem, sim, tem cachaça mineira, eu deveria ter engravidado ao mesmo tempo que a minha amiga. Aviso que vou pagar em breve.

É normal, pode acontecer de a sua vida não dar em grande coisa e então um dia os fogos de Réveillon são brutais e você lembra que precisa proteger o seu cachorro que já não existe há algumas décadas então sai com ele andando assustado e inexistente na coleira vazia à procura de silêncio e de alguma lembrança boa.

A cachaça tem o gosto dos meus vinte e seis anos recém-casada, a garrafinha na bolsa da Camila, o país morrendo em silêncio, alçapões, o Instituto Médico Legal, nossa risada com a cachacinha tentando ser feliz, era só o que precisávamos, enquanto ela ria eu pensava na morte que a qualquer momento vem e termina as risadas e ela pensava no filho que um dia estaria esperando e depois seguiria esperando contente as visitas raras do México ou Novo México, e eu tentando imitar essa certeza de que as coisas todas seguem o seu caminho tranquilas, e essa certeza nunca me preencheu enquanto eu cuidava de arruinar todas as coisas antes que se arruinassem sozinhas.

A televisão do bar altíssima alerta que ninguém sabe exatamente o que está acontecendo mas está para chegar neste país uma espécie de pandemia, eu volto os olhos para o repórter, penso que deve ser um filme ruim, dou risada, mas é o repórter de sempre, já nos próximos dias há quem diga que ninguém deve sair de casa, e há quem diga que ninguém deve se importar, um entrevistado diz que todos os velhos morrerão. Não quero dar muita atenção, uma coisa dessas não faz o menor sentido, a cadeira de plástico cede um pouco quando me ajeito, não sei mais como me sentar num bar, eu não preciso ser assim sozinha, talvez na semana que vem eu possa me juntar a algum clube de piscinas, ou de sinuca ou clube de livros, com chá e cachaça, talvez eu tenha de esperar quinze dias segundo o repórter, pode ser que alguém pergunte o meu nome e goste muito do nome Aurora e sentaremos para almoçar num boteco como se fosse um dia qualquer, mas na verdade será um grande dia, estaremos ambas, minha amiga nova e eu, emocionadíssimas.

Pego dois canudos e escondo o copo na camiseta, presente para a acumuladora.

Quando eu andar cem metros de volta para o abrigo será que os idosos todos estarão mortos de pandemia, será que a Rosa vai parar de vir aqui, o outro entrevistado avisa que na Europa estão morrendo aos montes e isso sim é um bom alarme porque se até na Europa estão morrendo assim quem é que vai nos valer por aqui. Eu ia pedir um pastel, mas lembrei que de fato não tenho como pagar. Depois eu volto e pago, porque amanhã a Rosa vai me levar até a minha casa, vou ser devolvida, talvez mesmo para Deus. É muito ruim ser devolvido onde quer que seja.

– A minha filha disse o que eu fiz?
– Não pareceu nada específico, Aurora... Eu
– E a minha amiga?
– Realmente não houve nada, vocês foram se afastando sem querer
– Eu mandei cartas
– Achei umas cartas na sua casa, numa caixa. Acho que você não enviou
– Ela se lembrou rápido de mim?
– Falou que você foi uma amiga da juventude
– ...
– Uma grande amiga
– Ela não reclamou mesmo nada de mim, Rosa?
– Nada, foram os caminhos, ela disse, caminhos da vida
– Ela é assim, não reclamaria nunca, mais fácil desaparecer do que reclamar
– Foi só o tempo mesmo, Aurora
– Como está a voz dela?
– Delicada, cheia de gentilezas
– Ah, então ainda é a mesma voz de telefone. Ela tem essa voz para telefonemas
– Ela ficou animada ao se lembrar de você
– Lembrar. Nós nunca moramos juntas, Rosa?
– Não...
– Rosa, não fique assim, o marido dela está para morrer, não está?

– *Doente*
– *Ela vai me procurar. Vai morar na minha casa*
– *...*
– *E o filho, está no México ou Novo México?*
– *Novo México*
– *Sabia!*
– *Aurora, você tem mais uma consulta com o médico, vai seguir em acompanhamento, eu posso tentar mais uma vez ligar para a sua filha e*
– *E os cachorros?*
– *Vi uma foto deles, bem antiga*
– *...*
– *Sua casa é gostosa, assim que você entrar lá vai lembrar muita coisa*
– *Tudo deu tão errado, Rosa, tão errado que era melhor deixar esquecido*
– *Você tem um limoeiro!*
– *Nós vamos nos ver de novo?*
– *Sim*
– *Você tem a idade da minha filha*
– *No seu jardim uns passarinhos fizeram ninho*
– *É muito ruim ser devolvido*
– *É a sua casa, Aurora*
– *É muito ruim ser devolvido onde quer que seja, Rosa*

Agradeço a todas as pessoas queridas que colaboraram com este livro fornecendo medos e lidando com os meus tantos pavores. Obrigada à tia e aos tios pelo fusca, ao primo Gui pelas perícias e necrópsias, ao Danilo pelos palpites musicais, e à Marieta pelas anedotas escolares. Obrigada à Luciana pelas noções de abrigos, instituições e muito mais.

Obrigada à Rafa e ao Du pela leitura atenta e carinhosa, e à escritora Ana Rüsche pela leitura profissional e afetiva. Obrigada à Tati Bernardi pela leitura tão intensa e generosa.

Agradeço também aos meus pais, com seus medos tão adequados, sempre na medida certa para amparar minhas ponderações e ousadias.

Obrigada ao Perdoai e ao Ofendido, pseudônimos dos meus vira-latas Tabu e Lori Lamby.

Obrigada à Mila por ser tudo isso, e topar brincar assim com nossas verdades e fantasias.

© Editora NÓS, 2021

Direção editorial  SIMONE PAULINO
Preparação  ANA LIMA CECILIO
Projeto gráfico  BLOCO GRÁFICO
Assistente de design  NATHALIA NAVARRO
Revisão  ALEX SENS

Imagem de capa  CRISTINA CANALE
[*Passante*, 2011, 200 × 300 cm, técnica mista sobre tela.]
Reprodução fotográfica  ROMULO FIALDINI

5ª reimpressão, 2025

---

Dados Internacionais de Catalogação na Publicação (CIP)
de acordo com ISBD

C313s
    Carrara, Mariana Salomão
    *É sempre a hora da nossa morte amém*:
    Mariana Salomão Carrara
    São Paulo: Editora Nós, 2021
    272 pp.

ISBN  978-65-86135-37-4

1. Literatura brasileira. 2. Romance. I. Título.

2021-2963    CDD 869.89923    CDU 821.134.3(81)-31

Elaborado por Vagner Rodolfo da Silva – CRB-8/9410

Índices para catálogo sistemático:
1. Literatura brasileira: Romance 869.89923
2. Literatura brasileira: Romance 821.134.3(81)-31

---

Fonte  TIEMPOS
Papel  PÓLEN NATURAL 80 G/M²
Impressão  MARGRAF